Bianca

EL SULTÁN Y LA PLEBEYA

Maya Blake

Editado por Harlequin Ibérica.
Una división de HarperCollins Ibérica, S.A.
Núñez de Balboa, 56
28001 Madrid

© 2017 Maya Blake
© 2019 Harlequin Ibérica, una división de HarperCollins Ibérica, S.A.
El sultán y la plebeya, n.º 2685 - 6.3.19
Título original: The Sultan Demands His Heir
Publicada originalmente por Harlequin Enterprises, Ltd.

I.S.B.N.: 978-84-1307-370-5
Depósito legal: M-1141-2019
Impresión en CPI (Barcelona)
Fecha impresion para Argentina: 2.9.19
Distribuidor exclusivo para España: LOGISTA
Distribuidor para México: Distibuidora Intermex, S.A. de C.V.
Distribuidores para Argentina: Interior, DGP, S.A. Alvarado 2118.
Cap. Fed./Buenos Aires y Gran Buenos Aires, VACCARO HNOS.

Capítulo 1

ESME Scott se despertó sobresaltada por la vibración del teléfono.

Como trabajadora social, recibía a menudo llamadas en mitad de la noche. Los problemas de sus tutelados y un sistema sobrecargado exigían atención las veinticuatro horas del día.

Pero instintivamente, supo que aquella llamada no estaba relacionada con su trabajo. Un instinto que en el pasado, en una vida mucho menos altruista que había dejado atrás, le había sido de mucha utilidad.

—¿Hola? —contestó.

—¿Esmeralda Scott?

Esmeralda. Oír su nombre completo le encogió el corazón. Solo su padre, con el que no hablaba desde hacía ocho años, lo usaba.

—Sí —contestó.

—¿La hija de Jeffrey Scott? —preguntó una voz grave, con un leve acento y un tono autoritario, que la puso alerta.

No, aquella no era una llamada cualquiera.

Se incorporó y encendió la lámpara de la mesilla.

—Sí. ¿Quién es usted?

—Me llamo Zaid Al-Ameen. Soy el fiscal general del reino de Ja'ahr —contestó el hombre en un tono implacable.

—¿Qué puedo hacer por usted? —preguntó Esme, haciendo uso del tono que usaba para calmar a sus tutelados más rebeldes.

Se produjo una breve pausa.

–La llamo para informarle de que su padre está en prisión. En un par de días será procesado y se presentarán cargos contra él.

Esme sintió que se le helaba la sangre al darse cuenta de que aunque hubiera querido olvidarse de él, su padre seguía teniendo el poder de sacudir los cimientos de su vida.

–En-entiendo.

–Ha insistido en utilizar su única llamada para localizarla, pero el teléfono que nos ha proporcionado no era el actual.

El hombre habló en tono especulativo, pero Esme no pensaba explicarle que había pedido que su nuevo número no apareciera en el registro precisamente con ese propósito.

–¿Cómo ha dado conmigo? –preguntó, con la cabeza repleta de toda una serie de preguntas que no pensaba hacer a aquel desconocido.

–Cuento con uno de los mejores cuerpos de policía del mundo, señorita Scott –dijo él con frialdad.

Por más que odiara hacerla, Esme no pudo posponer la pregunta que tenía en la punta de la lengua.

–¿De qué se le acusa?

–Los cargos son demasiado numerosos como para poder darle una lista. Nuestra investigación sigue sacando a la luz nuevos delitos –dijo el hombre–. Pero la acusación principal es de fraude.

El corazón de Esme se aceleró.

–Entiendo.

–No parece sorprenderla –en aquella ocasión el tono de escepticismo del hombre puso a Esme en guardia.

–En Inglaterra estamos en mitad de la noche, señor

Al-Ameen. Comprenderá que me cueste asimilar la noticia.

—Soy consciente de la diferencia horaria, señorita Scott. Y aunque no estamos obligados a localizarla de parte de su padre, pensé que querría estar al tanto del incidente...

—¿Qué incidente? —preguntó Esme cortándole.

—Se ha producido un altercado en la cárcel donde está su padre...

—¿Está herido? —preguntó ella con el corazón en un puño.

—El informe médico habla de una leve contusión y algunos hematomas. Mañana podrá abandonar la enfermería.

—¿Para que puedan volver a atacarlo o va a hacer usted algo para protegerlo? —preguntó ella, levantándose de la cama y recorriendo su pequeño apartamento antes de que el hombre se dignara a responder.

—Su padre es un criminal, señorita Scott. No merece ni tendrá un trato especial. Considérese afortunada de recibir esta llamada. Como he dicho antes, el procesamiento tendrá lugar en un par de días. Usted decidirá si quiere asistir o no. Buenas noches.

—Espere, por favor —dijo Esme al ver que el hombre no colgaba. Tenía que pensar con serenidad, tal y como haría de tratarse de uno de sus tutelados—. ¿Tiene abogado? Asumo que tiene derecho a una defensa.

El tenso silencio que se produjo le indicó que había resultado ofensiva.

—No somos un país retrasado, señorita Scott, a pesar de lo que dice la prensa. Los bienes de su padre han sido requisados de acuerdo a la ley de enjuiciamiento, pero cuenta con un abogado de turno.

A Esme se le hizo un nudo en el estómago. En su experiencia, los abogados de oficio estaban sobrecargados de trabajo. Dado que su padre debía de ser culpable de los cargos que se le imputaban, las perspectivas eran sombrías.

El impulso de acabar la conversación en aquel momento y seguir como si no se hubiera producido fue seguido de un sentimiento de culpabilidad. Había cortado los lazos con su padre y reconstruido su vida. Pero no pudo evitar preguntar:

−¿Puedo hablar con él?

Se produjo un prolongado silencio.

−Está bien. Cuando los médicos le den el alta le permitiré hacer otra llamada. Esté disponible a las seis de la mañana. Buenas noches, señorita Scott.

El hombre colgó, pero su voz permaneció en Esme como una carga eléctrica. Dejó el teléfono con las manos temblorosas. Zaid Al-Ameen tenía razón: la noticia no la tomaba por sorpresa. De hecho, le extrañaba que hubiera tardado ocho años en producirse.

Cuando pasados diez minutos no consiguió apaciguar sus alteradas emociones, supo que no podría volver a dormirse y decidió trabajar para intentar olvidar los malos recuerdos que la habían asaltado.

Desde el momento en que había empezado a trabajar como trabajadora social, cuatro años atrás, tuvo la gratificación de que sus acciones produjeran resultados positivos. En ocasiones, apenas perceptibles; en otras, muy significativos. Pero ni una cosa ni otra lograba limpiar la mancha negra que ensombrecía su alma.

Contacto Global, era una fundación internacional que colaboraba con organizaciones locales para ayudar a los desfavorecidos, ofreciendo desde rehabilitación de toxicómanos a hogares de acogida.

Pero pensar en su padre le impidió concentrarse. Se obligó a terminar la documentación para realojar a una madre soltera con cuatro hijos; y un test de dislexia para el segundo de ellos. Programó una alarma para confirmar la cita con una llamada y cerró el archivo.

A continuación comenzó su búsqueda en Internet. Aunque durante las temporadas frenéticas que había pasado con su padre habían hablado del reino de Ja'ahr, nunca habían ido allí. No estaba en la «lista» de los destinos más deseables: Mónaco, Dubái, Nueva York o Las Vegas.

En cuestión de segundos, Esme comprendió por qué su padre lo había elegido como objetivo. El pequeño reino, situado en el extremo del Golfo Pérsico, había adquirido una fama merecida en las últimas décadas.

Una excelente administración de sus ricos recursos en petróleo, piedras preciosas, y la explotación de sus rutas de navegación habían proporcionado a sus clases dominantes una enorme riqueza, de la que no se beneficiaban las clases bajas. Esa división social era frecuente en aquellos países, pero en el caso de Ja'ahr parecía ser particularmente dramática.

Inevitablemente, el resultado de aquella división había sido la inestabilidad política y económica, con ocasionales estallidos de violencia que habían sido reprimidos sin piedad.

Esme mantenía una actitud crítica hacia la información de la red, pero los casos legales que se describían parecían veraces. Severas sentencias se aplicaban a pequeños crímenes, y los castigos para los reincidentes eran implacables.

«No somos un país retrasado, señorita Scott, a pesar de lo que dice la prensa».

Pero su sistema legal parecía propio de la Edad Media, lo que no era prometedor para su padre.

«Se lo merece. ¿No te acuerdas de por qué lo dejaste?».

Esme se irguió. Se había ido. Había reconstruido su vida.

Sonó el teléfono y lo contestó.

—¿Sí?

—¿Esmeralda?

Esmeralda cerró los ojos al oír la familiar voz.

—Sí, papá, soy yo.

Un suspiro de alivio fue seguido de una carcajada.

—Cuando me dijeron que te habían localizado pensaba que me tomaban el pelo.

Esme guardó silencio. Estaba demasiado ocupada intentando dominar sus emociones.

—Mi niña ¿estás ahí? —preguntó Jeffrey Scott.

Esme no supo si reír o llorar.

—Estoy aquí —dijo finalmente.

—Supongo que sabes lo que ha pasado.

—Sí —Esme carraspeó—. ¿Estás bien? Me han dicho que tenías una contusión.

Su padre rio, pero sin su habitual altanería.

—Eso es lo de menos. Lo que temo es que el jefe se salga con la suya.

—¿El jefe?

—El Castigador Real en persona.

—No sé a quién te refieres, papá.

—El fiscal general va por mí, Esmeralda. Me han denegado la fianza y ha solicitado que mi juicio se adelante.

Esme se estremeció al recordar la voz poderosa y profunda del hombre en cuestión.

—Pero tienes abogado, ¿no? —preguntó

Su padre rio con desdén.

—Si puedes llamar abogado a un tipo que dice que el caso está perdido y que lo mejor es que me declare culpable. Necesito que vengas, Esmeralda.

Esme se quedó petrificada

Su padre continuó precipitadamente:

—He averiguado que le dan mucha importancia a los

testigos de carácter en los juicios. He pedido que tú seas el mío.

Esme sintió un escalofrío. ¿No había empezado siempre así? ¿Su padre pidiéndole en tono inocente que hiciera algo? ¿Ella sintiéndose culpable hasta que accedía a hacerlo?

Se tensó al recordar la última e imperdonable acción de su padre.

—Papá, no creo que...

—Puede marcar la diferencia entre que me muera en la cárcel o pueda volver a casa algún día. ¿Vas a negarme la posibilidad de salvarme?

Esme apretó los labios. Su padre añadió:

—Según mi abogado, El Carnicero, va a solicitar cadena perpetua.

Esme sintió el corazón en un puño.

—Papá...

—¿Tanto me odias?

—No te odio.

—Entonces, ¿vendrás? —su padre adoptó el tono esperanzado y engatusador al que Esme nunca lograba resistirse.

Cerró los ojos recordándose que al final sí lo había logrado. Que había sido lo bastante fuerte como para separarse de él. Pero no sirvió de nada. Porque lo quisiera o no, Jeffrey Scott era su única familia.

—Sí. Iré.

El alivio de su padre fue perceptible en su tono, pero Esme no escuchó la cascada de palabras de agradecimiento que le dedicó porque estaba demasiado angustiada con el compromiso que acababa de adquirir. Finalmente, musitó una despedida al terminar el tiempo que su padre tenía para la llamada.

En una nebulosa, Esme tecleó un nombre y se quedó sin aliento al ver la imagen del hombre al que apodaban

El Carnicero. Ella ya sabía cómo sonaba su voz, pero el fiscal general de Ja'ahr tenía además un rostro que parecía tallado en granito; pómulos marcados y nariz aguileña. Llevaba el cabello peinado hacia atrás en suaves ondas brillantes, del mismo color azabache que sus cejas y sus pobladas pestañas. Pero lo que cautivó a Esme fueron sus sensuales labios. Y se preguntó si serían tan aterciopelados como parecían.

Esme se sobresaltó al darse cuenta de la dirección que tomaban sus pensamientos y movió el ratón, pero eso solo sirvió para revelar más de aquel hipnótico hombre. De anchos hombros y cuello fuerte, tenía una imponente figura, musculada hasta la perfección.

En la imagen, estaba plantado delante de la señal plateada de un bufete de abogados de Estados Unidos. Esme pensó que quizá había dado con la persona equivocada. Dio a otro link, pero salió el mismo hombre.

Aunque no era el mismo. Sus atractivas facciones y su mirada de águila resultaban aún más espectaculares envuelto de pies a cabeza en la indumentaria tradicional. El *thawb* era de un blanco refulgente con ribetes negros y dorados que se repetían en el *keffiyeh* que enmarcaba su rostro.

Dominada por una profunda agitación, Esme dio a otro link. Su exclamación resonó en el dormitorio cuando leyó la biografía de hombre de treinta y tres años apodado El Carnicero.

Pero quien la había despertado para darle malas noticias no era solo el fiscal general de un reino rico en petróleo. Era mucho más. Esme miró de nuevo con el corazón en un puño el rostro implacable de Zaid Al-Ameen, sultán y señor del reino de Ja'ahr.

El hombre en cuyas manos estaba la suerte de su padre.

Capítulo 2

ZAID Al-Ameen descansó la cabeza en el respaldo del asiento trasero del coche con ventanas tintadas que había tomado al salir del juzgado. Pero solo contaba con unos minutos de reposo. La carga de casos que tenía era enorme. Una decena estaban guardados en el maletín que tenía a su derecha, y muchos otros esperaban en su despacho.

Pero incluso eso era secundario al peso colosal de las responsabilidades de gobernante de Ja'ahr. Un peso que hacía que cada día pareciera un año en su batalla por rectificar los errores cometidos por su tío, el anterior rey.

Un gran número de sus consejeros en el gobierno se había asombrado de que pensara continuar con su profesión cuando volvió del exilio para ocupar el trono, dieciocho meses atrás.

Algunos habían aducido un posible conflicto de intereses, pero Zaid había acabado con las objeciones haciendo lo que hacía mejor: seguir la ley al pie de la letra y ganar los casos. Impartir justicia había sido la forma más rápida de empezar a acabar con la corrupción que había permeado todas las capas de la sociedad de Ja'ahr. Desde los yacimientos petrolíferos del norte al puerto de carga del sur, todas las empresas públicas habían pasado la inspección de su equipo de investigación. Inevitablemente, eso le había acarreado enemigos. Los veinte años de gobierno corrupto de Khalid

Al-Ameen habían alimentado y engordado a peces gordos que se aferraban a su parcela de poder.

Pero en los últimos seis meses las cosas habían empezado finalmente a cambiar. La mayoría de las facciones que se habían opuesto a él por ser un Al-Ameen, como su tío, habían empezado a aliarse con él. Pero aquellos que no se acostumbraban a la severidad contra la corrupción seguían promoviendo protestas en su contra.

La amargura que le había provocado que su tío escapara a la justicia al morir de un ataque al corazón, se había disipado. Eso no podía cambiarlo. En cambio, sí podía cambiar la profunda miseria en la que Khalid había sumido a su pueblo.

Zaid había sufrido de primera mano los crímenes y la codicia del poder. Que hubiera sobrevivido era en sí mismo un milagro. O eso se rumoreaba. Solo Zaid sabía qué había pasado la aciaga noche en la que sus padres habían muerto. Y no había sido un milagro, sino un mero acto de supervivencia.

Algo que había despertado en él culpabilidad, rabia y amargura a partes iguales. Era lo que le había llevado a dedicarse al derecho y a la búsqueda de la justicia con una férrea voluntad.

Solo así su pueblo saldría de la oscuridad en la que lo habían sumido.

Perdido en los recuerdos del pasado, no se fijó en su entorno hasta que el coche aminoró la marcha. Un grupo de manifestantes se había reunido en un parque donde se celebraban conciertos y obras de teatro. Algunos se habían situado delante de su comitiva. Las manifestaciones eran incómodas, pero formaban parte del proceso democrático.

Zaid miró a su alrededor al tiempo que sus guardaespaldas intentaban hacer retroceder a la muchedumbre.

La ciudad de Ja'ahr estaba espectacular en abril. Grandes esculturas e impresionantes monumentos rodeados de jardines de flores exóticas, flanqueaban las diez millas de la vía central que conducía del juzgado al palacio.

Pero como con el resto del país, se trataba de un despliegue de riqueza cultivado para engañar al mundo. Bastaba con desplazarse unos metros a un lado o a otro para descubrir la verdadera situación.

El sombrío recordatorio del abismo que separaba las clases sociales en su reino, hizo que Zaid volviera su atención a la muchedumbre y a la gran pantalla en la que se veía a una periodista rodeada de un puñado de manifestantes.

–¿Por qué está hoy aquí? –preguntó ella, adelantando el micrófono.

La cámara se volvió hacia la persona entrevistada

Zaid no supo por qué apretaba los puños al ver a la mujer. Durante su vida en Estados Unidos había tenido relaciones con mujeres más hermosas que la que en aquel momento aparecía en la gigantesca pantalla del parque.

No había nada extraordinario en sus facciones o en el cabello rubio que se recogía en un moño bajo. Sin embargo, la combinación de sus labios voluptuosos, una nariz respingona y grandes ojos verdes era tan impactante, que los dedos de Zaid se movieron por propia voluntad hacia el botón que bajaba la ventanilla. Aun así, seguía sin saber por qué le había provocado aquella sacudida, aunque tal vez se debiera a la indignación que centelleaba en sus ojos en forma de almendra.

O más aún, se debía a las palabras que salían de su boca. Palabras de censura expresadas con una voz ronca que amplificaban los altavoces y en las que Zaid no conseguía concentrarse.

La voz le resultaba familiar; la había oído en mitad de la noche; aquella voz había hecho despertar su parte más masculina.

–Mi padre ha sido atacado dos veces en prisión durante la semana pasada mientras estaba bajo supervisión policial.

–¿Está usted acusando a la autoridad? –preguntó la periodista.

La mujer se encogió de hombros. Zaid deslizó la mirada desde su rostro a su cuello y hombros; a la curva de sus senos.

–Tenía entendido que la policía aquí era de las mejores del mundo y sin embargo no es capaz de proteger a la gente que está bajo su custodia. Encima parece que no podré ver a mi padre hasta el juicio o hasta que ofrezca un incentivo económico para lograrlo.

Los ojos de la periodista brillaron.

–¿Se refiere a un soborno?

La mujer vaciló antes de decir:

–Eso me insinuaron.

–¿Quiere decir que tiene una mala opinión del gobierno de Ja'ahr?

La mujer sonrió con sorna,

–Eso es una manera suave de decirlo.

–Si pudiera decir algo a quien está al mando, ¿qué le diría?

La mujer miró a la cámara con gesto de determinación.

–Que no creo que el problema sea solo la policía. Y la gente que está aquí, claramente tampoco. En mi opinión, un pez se pudre de la cabeza hacia abajo.

La periodista se puso nerviosa.

–¿Está insinuando que el sultán Al-Ameen es directamente culpable de lo que le ha pasado a su padre?

La mujer se mordió el labio inferior.

–Da la sensación de que algo no funciona en el sistema. Y puesto que él está al cargo, supongo que la cuestión es qué piensa hacer al respecto –dijo en tono retador.

Zaid dio al botón para subir la ventanilla al tiempo que sonó el telefonillo.

–Alteza, mil disculpas por lo que acaba de presenciar –le llegó la voz de su asesor principal, que viajaba en el coche que seguía al suyo–. He contactado con el director de la televisión. Vamos a dar instrucciones para prohibir la emisión del programa inme...

–No va a hacer nada de eso –lo interrumpió Zaid.

–Pero, Alteza, no podemos permitir que ese tipo de opiniones se aireen...

–Podemos y lo haremos. Ja'ahr debe de ser un país que defienda la libertad de expresión. Si alguien intenta impedirlo, tendrá que vérselas conmigo en persona. ¿Está claro?

–Por supuesto, Alteza –se apresuró a contestar el asesor.

Al pasar la caravana junto a los últimos manifestantes, Zaid vio de nuevo a la mujer en una pantalla más próxima. El sol iluminaba su rostro y sus cautivadoras facciones y Zaid volvió a sentir una sacudida eléctrica.

–¿Quiere que averigüe quién es, Alteza?

Zaid sabía perfectamente quién era: Esmeralda Scott.

La hija del delincuente al que pensaba encausar y poner tras las rejas en el futuro inmediato.

–No es necesario. Pero tráigamela inmediatamente –ordenó.

Apartó los pensamientos relativos a la reacción que la mujer despertaba en él y se concentró en su críticas a todo aquello por lo que él estaba luchando en su país: la integridad, el honor, la rendición de cuentas.

Esmeralda Scott tendría que contestar unas cuantas preguntas. Tras lo cual, él tendría el placer de señalarle sus errores.

Esme se estiró la falda mientras el coche negro con cristales tintados la llevaba a un destino desconocido. La única razón por la que contenía su nerviosismo era el hombre con gafas de aspecto tranquilo que se sentaba frente a ella y que le había explicado que, tras la entrevista que había dado a la televisión, se le había concedido una audiencia en favor de su padre.

—¿Dónde vamos? —preguntó por segunda vez.

—Lo verá por usted misma en cuanto lleguemos.

La respuesta no la tranquilizó. Miró por la ventanilla y vio que el paisaje era de una opulencia creciente.

—El hospital penitenciario de mi padre está en el otro extremo de la ciudad —comentó.

—Lo sé, señorita Scott.

Esme se puso en guardia.

—No me ha dicho por qué sabe mi apellido —ella solo había dado su nombre a la periodista.

—Efectivamente, no se lo he dicho.

Esme abrió la boca pero la cerró al ver que el coche tomaba una rotonda, se acercaba a una gran verja dorada y aminoraba lo bastante la marcha como para que los guardas les dieran paso.

—Este... es el palacio real —musitó, sin poder contener un escalofrío al contemplar la inmensa cúpula azul.

—Así es —respondió el hombre, impasible.

El coche se detuvo y Esme fue súbitamente consciente de que la llevaban al palacio después de que acabara de criticar en público al gobernante del rey.

—Me han traído por lo que he dicho sobre el sultán, ¿verdad?

Un mayordomo abrió la puerta del palacio. El asesor principal bajó e hizo una señal a alguien que quedaba oculto a ojos de Esme, antes de dirigirse a ella:

–No me corresponde a mí contestar esa pregunta. Su Alteza ha reclamado su presencia. No debemos hacerle esperar.

Antes de que Esme reaccionara, el hombre se alejó caminando por el suelo de mármol que llegaba a las escaleras que accedían al palacio.

Esme sintió que la invadía el pánico. El conductor seguía sentado tras el volante. Podía pedirle que la devolviera al hotel. Suplicárselo si fuera necesario. O podría marcharse andando. Pero sabía que nada de eso era posible.

Otro murmullo de pasos se aproximó al coche. Esme contuvo el aliento al ver aproximarse a un hombre con indumentaria tradicional. Se detuvo junto a la puerta e hizo una leve inclinación. Lo flanqueaban dos guardas.

Esme contuvo una risa histérica al tiempo que el hombre le hablaba:

–Señorita Scott, soy Fawzi Suleiman, secretario privado de su Alteza Real. Acompáñeme, por favor –dijo, haciendo un gesto amable pero firme con el brazo para indicar el camino.

Esme bajó del coche y se estiró la falda intentado disimular el temblor de sus manos. Alzó la barbilla y sonrió:

–Le sigo.

El hombre la precedió, subieron las escaleras y entraron en el palacio de fama mundial.

En cuanto Esme miró alrededor se quedó boquiabierta y aminoró el paso.

Hileras de arcos moriscos lacados en negro y pan de oro formaban una serie de corredores que confluían en un espectacular atrio central con una gran fuente de cerámica azul.

Apartó la vista de ese espectáculo lo bastante como para ver que había llegado al pie de una ancha y magnífica escalera. Enmoquetada en el mismo azul que parecía ser el color real, la balaustrada estaba tallada con diseños de una delicada exquisitez.

Propia de un rey.

Un leve carraspeo le reprendió que se retrasara. Y mientras seguían avanzando de un corredor a otro, de una sala a otra, cada cual más espectacular que la anterior y con personal de servicio que desviaba la mirada de ella, Esme fue consciente de que estaba siendo expertamente manipulada para que se sintiera intimidada.

Llegaron ante unas puertas dobles de madera tallada. Esme asió su bolso para contener el pánico cuando el secretario se volvía hacia ella.

—Espere aquí a que la llamen. Cuando entre, se dirigirá al sultán como Su Alteza.

Sin esperar respuesta, asió los picaportes y abrió las puertas.

—La señorita Scott está aquí, Alteza —le oyó murmurar Esme.

Cualquiera que fuera la respuesta que obtuvo, el hombre hizo otra reverencia antes de volverse a Esme.

—Puede pasar.

Esme había dado dos pasos hacia el interior cuando oyó las puertas cerrarse ominosamente a su espalda. Con los nervios a flor de piel, percibió el leve aroma de incienso y de una exclusiva loción de afeitado.

Estaba en presencia del gobernador de Ja'ahr.

Se obligó a poner un pie delante del otro sobre las caras alfombras persas que cubrían el suelo hasta que se encontró en el despacho más grande que había visto en su vida. Al instante, toda su atención se concentró en el hombre que ocupaba el gigantesco escritorio.

Aún a distancia, su magnética aura la golpeó. Quiso dar un paso más, pero se quedó paralizada al ver que él se ponía en pie.

Fue como si la golpeara una ola de masculinidad primaria. Era incluso más alto de lo que parecía en las fotografías. Llevaba un traje de tres piezas, pero dado el aire de guerrero que Zaid Al-Ameen tenía, daba la impresión de llevar una antigua armadura. Por encima de su cabeza colgaba un gigantesco emblema que representaba el escudo de armas del reino que enfatizaba la gloria y la autoridad de su gobernante.

Esme hizo acopio de entereza.

—No-no sé por qué me han traído aquí. No he hecho nada malo. Alteza —añadió tras un tenso segundo.

Él no respondió. Esme se obligó a sostenerle la mirada al tiempo que reprimía el impulso de humedecerse los labios.

—Confío que no espere que haga una reverencia. No sabría.

Él enarcó una ceja con arrogancia.

—¿Cómo lo sabe si no lo ha intentado? —preguntó con sorna.

Su voz, grave y poderosa, resonó en el interior de Esme, haciéndole temblar.

—Puede que sea una costumbre, pero no creo que quiera hacerlo.

Una expresión enigmática cruzó el rostro de él antes de que Esme pudiera descifrarla.

—Pero no creo que quiera hacerlo, Alteza —él repitió sus palabras, enfatizando el título.

Esme parpadeó, desviando la mirada de su exótico y cautivador rostro.

—¿Perdón?

—Supongo que le han dicho cómo dirigirse a mí. ¿O su falta de respeto por mi país y mi sistema legal se extiende hasta mi persona?

El tono de ira subyacente hizo que a Esme la recorriera un escalofrío. Estaba en la jaula de un león. Al margen de sus sentimientos personales, debía actuar con cautela si quería salir entera.

—Discúlpeme, Alteza. No pretendía ofenderlo.

—Apenas la conozco y, sin embargo, veo que debo de añadir «falsa» a la lista de sus defectos.

Esme lo miró boquiabierta.

—¿Disculpe?

—Disculpe, Alteza —en aquella ocasión la orden fue acompañada de un tono y una mirada glaciales.

Esme intentó reprimir la respuesta airada que le subió a los labios, pero lo consiguió solo parcialmente.

—Puede que se deba a que he sido traída aquí contra mi voluntad, Alteza.

Él rodeó lentamente el escritorio mientras Esme lo miraba hipnotizada. A pesar de ser corpulento se movía con una poética armonía. Como un depredador a punto de atrapar a su presa.

Capítulo 3

ZAID Al-Ameen se detuvo a unos pasos de Esme y mirándola fijamente, preguntó:

—¿La han atraído aquí contra su voluntad?

—Bueno... En parte, sí. Alteza.

—La respuesta es sí o no. ¿Le han puesto las manos encima mis hombres? —preguntó él con creciente aspereza al tiempo que volvía a avanzar hacia ella.

Esme sintió que le flaqueaban las piernas.

—Yo...

—¿Le han herido, señorita Scott? —preguntó él en lo que sonó casi como un rugido.

—No..., pero su emisario me indujo a confusión.

Zaid se detuvo y alzó las cejas.

—¿En qué sentido?

—No me dijo dónde me llevaba. Me dio a entender que iba a ver a mi padre...

—¿Pero alguien le ha hecho daño?

Esme no entendía por qué insistía tanto en eso. Sacudió la cabeza.

—Nadie me ha tocado, pero eso no quiere decir que esto no sea en cierta forma un rapto.

Zaid entrelazó las manos tras la espalda y la miró fijamente.

—¿No le dijeron que yo quería hablar con usted?

—Solo cuando llegamos aquí. Y me ha dado la impresión de que, aunque quisiera, no me permitirían marcharme.

Él permaneció en silencio por un instante sin dejar de escrutar el rostro de Esme.

–Primero insinúa que las autoridades intentaron sobornarla para poder ver a su padre, y ahora alega un posible rapto a pesar de que ha venido aquí por voluntad propia. ¿Tiene por costumbre lanzar acusaciones al azar? –preguntó en tono amenazador a la vez que se acercaba un último paso hacia ella.

Esme habría querido alejarse de la pared de masculinidad que se le aproximaba, pero hacía mucho tiempo que había aprendido a no dejarse amedrentar.

Así que, a pesar de que su instinto le decía que Zaid Al-Ameen representaba un tipo de peligro muy distinto a los que estaba acostumbrada, alzó la barbilla y le sostuvo la mirada.

–No, Alteza. Acostumbro a juzgar las circunstancias por mí misma. Pero si estoy equivocada, puede demostrármelo. Quiero marcharme –dijo con firmeza.

–Pero si acaba de llegar...

–Como le he dicho, Alteza, pensaba que me llevaban a ver a mi padre y no que me traerían aquí para... lo que sea que me han traído. Supongo que me lo va a decir.

–Cuando corresponda.

A Esme se le que quedó atragantada la respuesta que iba a dar por la distracción que supuso la fragancia a incienso y loción de afeitado que dejó él al pasar a su lado. Se volvió y lo siguió como una autómata.

–Siéntese –dijo Zaid

La invitación fue emitida en tono sereno, pero Esme miró hacia la puerta cerrada y se estremeció.

–Solo por curiosidad, ¿si me negara, me dejaría marchar?

–Puede marcharse si lo desea. Pero no antes de que hablemos. Siéntese –en aquella ocasión se trató de una orden.

Esme la obedeció, sentándose en el borde del asiento más próximo.

Como si se tratara de una coreografía, al instante se abrieron las puertas y el secretario del sultán apareció con una bandeja. La dejó y, tras inclinarse, esperó con las manos entrelazadas.

Zaid Al-Ameen tomó el asiento adyacente al de ella y preguntó:

—¿Té o café?

Esme fue a rechazar la invitación porque dudaba de poder beber, pero finalmente dijo:

—Té, por favor. Alteza —se apresuró a añadir el título al recibir una mirada alarmada de Fawzi.

Zaid asintió con la cabeza y Fawzi preparó el té.

Esme tomó la taza de delicada porcelana y rechazó los dulces que Fawzi le ofreció. Luego esperó a que el secretario preparara un café para el sultán, tras lo cual, hizo una reverencia y se marchó.

Permanecieron en silencio mientras Esme probaba el té y se esforzaba en desviar la mirada de los dedos largos y elegantes con los que Zaid sujetaba su taza. Él dio un prolongado sorbo antes de dejarla en el plato y mirar a Esme fijamente.

—Aunque finja lo contrario, sabe perfectamente por qué está aquí.

Esme intentó dominar el temblor en su voz.

—¿Por la entrevista?

—Precisamente.

Esme asió la taza con fuerza para ocultar el temblor de su mano.

—Creía que Ja'ahr defendía la libertad de expresión.

—La libertad de expresión es una cosa, señorita Scott. Rozar la difamación es otra muy distinta.

—¿Difamación? —repitió Esme alarmada.

–Sí. Insultar al trono es una ofensa criminal por la que actualmente puede recibir una sentencia de cárcel.

–¿Actualmente?

–Hasta que esa ley, como algunas otras, se modifique. ¿O eso es lo que quiere: entrar en prisión para hacer compañía a su padre? –preguntó Zaid en tono crispado.

–Por supuesto que no... Solo... estaba frustrada y preocupada por él.

–¿Siempre pierde el sentido común cuando la dominan las emociones? ¿Es consciente de que algunas de las cosas que ha dicho la ponen en peligro?

–¿Qué tipo de peligro? –Esme dejó la taza precipitadamente.

–Para empezar, al jefe de la policía no le gusta que se cuestione la reputación del cuerpo públicamente. Podría presentar cargos en su contra. O algo peor.

–¿Qué quiere decir con «algo peor»? –preguntó Esme angustiada.

–Que debe pensar más antes de hablar.

–Pero lo que he dicho es verdad –dijo ella, negándose a que el miedo la paralizara.

–Tiene que recordar que no está en Inglaterra, y que aquí las cosas se hacen de manera distinta.

–¿Qué quiere decir? –preguntó Esme de nuevo.

Él se inclinó y apoyó los codos en las rodillas, lo que atrajo la mirada de Esme a sus poderosos hombros. Un poder que se transmitió a su voz:

–Quiero decir que mi magnanimidad es lo único que la ha salvado de la cárcel, señorita Scott, dado que algunas de sus acusaciones son falsas.

–¿Cuáles?

–Ha dicho que su padre ha sufrido dos ataques, pero las investigaciones han descubierto otra historia.

–¿Ya han hecho averiguaciones?

–Nos ha insultado al gobierno y a mí en la televisión

–dijo él con frialdad–. «El pez se pudre desde la cabeza» creo que han sido sus palabras. Una acusación así requiere una contestación inmediata.

Esme sintió que se mareaba.

–Alteza, no... era algo personal...

–Evíteme las excusas. Me ha retado y lo sabe. Y yo lo he aceptado. Aparte de los numerosos crímenes de su padre, que conozco bien, ¿quiere saber qué he descubierto?

Esme intuyó que no, pero se tragó la negativa.

–Puesto que va a decírmelo de todas formas, adelante.

–Información interna y las grabaciones de las cámaras demuestran que su padre instigó ambos enfrentamientos. Parece creer que su situación mejorará si se le percibe como una víctima.

Esme se tensó al pensar que no era completamente inverosímil. Jeffrey Scott era especialista en analizar las situaciones y adaptarse a ellas. Por eso había durado tanto tiempo en su profesión.

La mirada de águila de Zaid percibió su reacción.

–Veo que ni le sorprende ni sale en su defensa –comentó–. Puede que esa imagen de su padre le suene más que la que ha descrito en la televisión,

Esme tomó aire. Por mucho que supiera, no pensaba incriminar a su padre.

–Eso no cambia el hecho de que los guardas no lo protegieron –replicó–. Si lo hubiera dejado en libertad bajo fianza...

–¿Para que intentara huir del país? Su padre es un estafador veterano, e intuyo que usted lo sabe. Sin embargo la ha elegido como su principal testigo para su defensa –dijo él, mirándola con frialdad.

–Puesto que usted es quien va a procesarlo ¿no es inapropiado que discuta el caso conmigo, Alteza? –contraatacó ella.

Zaid sonrió con sorna ante sus evasivas.

–No le he dicho nada que contravenga el proceso judicial. Y esté segura de que no lo haré.

Esme supo que tenía que ser cauta para no cometer ningún error.

–¿Me ha llamado para reprenderme antes de meterme también en la cárcel?

–Le he hecho venir para advertirle de que evite hacer comentarios irreflexivos en público, al menos hasta que vuelva a Inglaterra.

Esme se indignó.

–Eso suena a amenaza, Alteza.

–Si es la manera de que se entere, lo es. Está pisando un terreno resbaladizo. No toleraré que vuelva a calumniarme a mí o mi gente sin pruebas. ¿Entendido?

A pesar de que se sentía ofendida, Esme era consciente de la parte de razón que tenía. Él se tomó su silencio por aquiescencia y se puso de pie.

Su poderosa y alta figura hizo que Esme se sintiera diminuta. Se puso en pie precipitadamente pero perdió el equilibrio. Antes de que cayera de bruces, un par de fuertes manos la sujetaron por los antebrazos y las manos de Esme aterrizaron en el pecho de Zaid. Al tiempo que el calor de su cuerpo electrizaba sus manos, él contuvo el aliento.

Ella alzó la mirada y los ojos de Zaid se clavaron en los de ella. A aquella distancia, ella vio motas de oro doradas sobre el fondo bronce de sus ojos y la combinación fue tan hipnótica que no pudo moverse a pesar de la voz interior que le ordenaba alejarse del hombre que estaba decidido a ejercer la autoridad máxima sobre ella, y a mantener a su padre en prisión.

Empezó a cerrar una mano, pero, atrapada por sus ojos y embriagada por la fragancia que emanaba, permaneció inmóvil. Las aletas de la nariz de Zaid se dilataron levemente cuando bajó la mirada a los labios de

Esme. Y como si se los hubiera tocado, ella los sintió palpitar anhelantes.

No... era posible que quisiera que la besara.

Él la soltó tan súbitamente que Esme temió haber pensado en alto. Retrocedió. Tenía que marcharse. Ya.

Como si hubiera pensado lo mismo, Zaid se volvió bruscamente y se dirigió con paso firme al escritorio. Liberada de su hipnótica proximidad, Esme tomó una bocanada de aire que sus pulmones necesitaban con urgencia. Y se cuadró al oír a Zaid decir algo en el tele-fonillo. Unos segundos más tarde, se abrió la puerta.

Su secretario intercambió unas rápidas frases con el sultán. Esme estaba tan fascinada por la sonoridad del árabe que no se dio cuenta de que habían dejado de hablar y que la miraban en silencio.

–¿Lo siento, me han dicho algo? –preguntó a Fawzi para evitar mirar a Zaid.

–Su Alteza ha dicho que puede marcharse. Yo la acompañaré al coche.

Consciente de que sería descortés no despedirse, Esme se obligó a dirigirse al sultán.

–Yo... Yo...

Él la miró con gesto burlón.

–Es curioso que justo se quede sin palabras cuando le permito irse. Volveremos a vernos en el juzgado, cuando testifique a favor de su padre. Espero que para entonces haya recuperado el habla, o su viaje habrá sido una pérdida de tiempo. Adiós, señorita Scott.

La despedida fue tan expeditiva como el viaje al hotel. Aún después de llegar, Esme seguía teniendo el corazón acelerado. Había sido convocada y juzgada.

Y, sin embargo, ya no sentía la indignación que la había dominado en presencia de Zaid Al-Ameen. En cambio, tenía grabado en la mente cada detalle del ins-tante en el que había impedido que se cayera. Y cada vez que lo recordaba, se le alteraba la respiración. Para dominar sus descontroladas hormonas, encendió la televisión y se encontró consigo misma siendo entrevistada. Se forzó a verse y sintió un leve remordimiento al oír sus palabras de condena.

La sensación de incomodidad seguía dominándola horas más tarde, cuando ya estaba en la cama. Tardó en conciliar el sueño, y cuando lo hizo, se vio perturbado por sueños en los que aparecía un hombre de mirada magnética. El sueño fue tan vívido que Esme se despertó bruscamente.

Y descubrió que no era un sueño: había alguien en la habitación.

Con la garganta atenazada por el terror, Esme se incorporó lentamente. La sombra que se perfilaba a contraluz contra la leve luminosidad de las cortinas se tensó un segundo antes de moverse hacia ella cuando saltó de la cama. Un pie se le enredó en las sábanas y gritó. Esme percibió más que vio cómo la figura rodeaba la cama para alcanzarla mientras ella tiraba de la sábana y trataba de escapar a gatas. A unos pasos del cuarto de baño, intentó ponerse en pie.

Un brazo fuerte la rodeó por la cintura y Esme se sintió presionada desde los hombros a los muslos contra un poderoso cuerpo masculino. El hombre la alzó en el aire y ella pataleó al tiempo que, recuperando la voz, empezaba a gritar.

La gran mano que le tapó la boca ahogó su voz.

Aterrorizada por la facilidad con la que el intruso la retenía, Esme redobló sus esfuerzos por liberarse, retorciéndose y golpeándole el brazo. Hasta que sintió el aliento del hombre en la mejilla.

–Tranquilícese, señorita Scott. Soy Zaid Al-Ameen. Si quiere estar a salvo, debe venir conmigo ahora mismo.

Capítulo 4

ESME se quedó paralizada durante unos segundos antes de que la furia redoblara sus esfuerzos por liberarse. Zaid la sujetó con más firmeza y ordenó:

–Tranquilízate.

Esme sacudió la cabeza. No encontraba ninguna razón para poder calmarse.

–Te juro que no voy a hacerte daño, Esmeralda. Pero para soltarte, tienes que prometer que no gritarás –le susurró él al oído.

Esme no quiso analizar si se debió a oír en sus labios su nombre o el tono aterciopelado que usó, lo cierto fue que finalmente se calmó. Entones pasó a ser plenamente consciente del cuerpo al que estaba pegada, de la respiración de él contra su espalda, de su trasero pegado a las caderas de Zaid y del masculino y orgulloso órgano cobijado entre ellas.

Recorrida por un intenso calor, sacudió la cabeza afirmativamente. Él esperó un segundo antes de soltarla. Esme se lanzó hacia el interruptor del cuarto de baño y encendió la luz antes de volverse hacia Zaid.

Verlo ataviado con el traje tradicional en negro, como un guerrero del desierto, le cortó la respiración que intentaba recuperar. Se retiró el cabello de los ojos con dedos temblorosos.

–Puede que sea quien gobierna en su reino –dijo airada–, pero no tiene derecho a invadir mi privacidad. Y menos a darme un susto de...

Él la cortó con un gesto de la mano.

—Comprendo su enfado, pero le aconsejo que espere a expresarlo una vez salgamos del hotel.

—¿Por qué? —exigió saber ella.

Sin dignarse a contestar y ante los atónitos ojos de Esme, él fue hasta el armario y empezó a rebuscar entre su ropa.

—¿Qué demonios está haciendo? No pienso a ir a ninguna parte en mitad de la noche.

Él se volvió con expresión amenazadora.

—Será mejor que no use ese tono conmigo o mis hombres la arrestarán.

—¿Sus hombres? —preguntó Esme alarmada.

Él indicó la puerta con la cabeza. Esme miró en esa dirección y advirtió por primera vez la presencia de dos hombres flanqueando la puerta en actitud alerta, protegiendo a su señor. Impidiéndole escapar.

—¿Por qué están aquí?

Zaid dio un paso hacia ella y Esme vio que en la mano sostenía su vestido negro de algodón.

—No tengo tiempo para explicaciones. Póngase esto. Tenemos que irnos ahora mismo, no creo que quiera salir con ese... trozo de tela —dijo él en un tono autoritario pero levemente alterado.

Esme bajó la mirada hacia el camisón corto de encaje y seda que llevaba puesto, y sintió un súbito calor al seguir la mirada de Zaid recorriéndola de arriba abajo. Cuando se detuvo en sus muslos, una sensación pulsante se asentó entre ellos y desde allí viajó en una sucesión de explosiones que fueron estallando bajo su piel.

Los ojos de Zaid ascendieron entonces hasta sus senos y en respuesta, sus pezones se endurecieron. Dándose cuenta de que la seda dejaba intuir cada reacción de su cuerpo, Esme se tapó el pecho con un brazo sin dejar de sostener la mirada de Zaid con gesto retador.

Pero fue como si una hormiga se enfrentara a un elefante. Aunque los ojos que la observaban pudieran tener un velo de turbación, incluso de deseo, el hombre que se aproximó a ella y le dio el vestido bruscamente estaba en pleno dominio de sí mismo y decidido a ser obedecido.

—Tiene dos minutos para vestirse o la vestiré yo.

Esme se mantuvo firme.

—Me vestiré, pero no pienso ir a ninguna parte si no me dice qué pasa.

Él se limitó a hacer un gesto seco con la cabeza y ella fue al cuarto de baño. Cuando ya se iba a poner el vestido, se quedó paralizada al ver su reflejo en el espejo. Tenía el cabello alborotado y las mejillas encendidas, pero lo que más la desconcertó fue la forma en que brillaban sus ojos. Donde hubiera esperado encontrar temor, vio otra cosa, algo que le provocaba un hormigueo bajo la piel; y sus pezones seguían endurecidos como una prueba palpable de excitación

Con una creciente agitación, se puso el vestido sobre el camisón como si le proporcionara una segunda piel. Podía oír a Zaid moverse con impaciencia al otro lado de la puerta. Se recogió el cabello en una coleta y salió a enfrentarse con él.

—Muy bien, merezco saber qué está pasando —repitió.

—El jefe de policía viene de camino a arrestarla. Si no viene conmigo, dentro de una hora estará en la cárcel. No sería una experiencia agradable.

Esme enmudeció y dirigió la mirada hacia los guardas. Aunque no se habían movido, pudo percibir en ellos una tensión creciente.

Zaid había encendido una lámpara y Esme se puso unas sandalias apresuradamente, Luego tomó su maleta, pero Zaid se la quitó de la mano.

—¿Qué está haciendo? —preguntó con aspereza.

—Recoger mis cosas.

—No hay tiempo. Ordenaré que se las lleven.

La mirada implacable con la que Zaid la miró hizo que Esme se limitara a asentir. Tomó su bolso, en el que tenía el pasaporte, la tarjeta de crédito y el teléfono, y Zaid la condujo hacia la puerta.

Ocho guardaespaldas formaron al instante un cordón de protección en torno a ellos; fueron hasta el ascensor, que los esperaba con la puerta abierta, y bajaron. En el vestíbulo vacío había un conserje adormecido que se irguió al oírlos e hizo una reverencia a su paso.

Zaid apenas lo miró porque estaba concentrado en los hombres armados que entraban por la puerta giratoria. Esme sintió que el corazón se le subía a la garganta a pesar de que él no cambió el paso.

—Permanezca a mi lado y no hable —musitó con una firme serenidad.

Ella asintió al tiempo que los hombres se aproximaban. Por su actitud y sus uniformes, supo quiénes eran incluso antes de ver la insignia que llevaban en el pecho.

El líder, un hombre bajo y rotundo se aproximó y todos se inclinaron al unísono, pero Esme percibió que el jefe de policía presentaba sus respetos al sultán con reticencia.

—Alteza, me sorprende que esté aquí a esta hora de la noche —dijo, mirando con suspicacia a los guardaespaldas.

—Ocuparse de las cuestiones de Estado no tiene horario —replicó Zaid.

El hombre miró a Esme con abierta animadversión.

–¿Y esto es una cuestión de Estado?

El lenguaje corporal de Zaid al emitir una áspera replica en árabe hizo que el hombre se encogiera, pero no alteró su expresión hostil hacia Esme. Sin embargo, no hizo ademán de detenerla.

Aunque solo se trató de unos minutos, a Esme le pareció que pasaba una eternidad hasta que Zaid la miró.

–Nos vamos –dijo.

Aliviada, Esme asintió y lo siguió.

En cuanto subieron al coche este se puso en marcha con una precisión militar y Esme respiró profundamente. Aunque en su mente se agolpaban las preguntas, sus sentidos despertaron al percibir la masculina fragancia del hombre que, sentado a su lado, la observaba en silencio. .

–¿Qué...? –Esme se humedeció los labios–. ¿Por qué iba a arrestarme?

–Porque, como yo, se ha enterado de que sus acusaciones son falsas. Su entrevista se ha emitido regularmente en las últimas doce horas. Muchos han exigido su detención desde el primer momento, y ha llegado a mis oídos que el jefe de policía iba a hacerlo.

Esme se estremeció.

–Dios mío –cerró los puños para contener el temblor de sus manos–. ¿De qué iba a acusarme? –preguntó, aunque sabía que eso era lo de menos.

Zaid se encogió de hombros.

–Habría encontrado algo.

–¿Quiere decir que se lo habría inventado?

–Bastaría con que dijera que quería interrogarla. Tenía suficientes elementos como para justificar la detención.

Esme sintió un nudo en el estómago.

–¿No sería... ilegal? –preguntó con cautela.

En la penumbra, vio que Zaid apretaba los dientes con gesto grave.

–El cambio está llegando a Ja'ahr, pero no lo bastante deprisa –dijo en tono críptico–. La verdadera democracia tiene exigencias que no todo el mundo quiere aceptar.

La solemne afirmación no invitaba a hacer más preguntas y el convoy avanzó en silencio hasta que Esme se dio cuenta de a dónde iban.

–¿Vamos a...?

–Al palacio real –confirmó Zaid.

Esme sintió pánico.

–Así que se trata de un rapto.

Lo dijo como una broma, para intentar quitar peso a los acontecimientos que acababa de vivir y a los que temía tener ante sí.

Pero al ver que Zaid no respondía, se volvió y vio que la miraba sin ápice de humor.

–Aunque no sea la mejor forma de describirlo, sí –dijo él. Y esperó a ver cómo se tomaba la respuesta.

Poco a poco su rostro adquirió una expresión de angustia que él pensó que le sería de utilidad porque así estaría alerta y concentrada. Por su parte, le serviría para dejar de fijarse en sus labios y en cómo arrugaba la nariz cuando algo le hacía gracia.

Ya le costaba bastante mantener su libido bajo control desde que había visto su piel nacarada y cómo el camisón acariciaba sus curvas. El impulso de tocarla, el recuerdo de haberla tenido en sus brazos había sido tan intenso que le había provocado un pulsante dolor visceral. Por eso tenía que concentrarse en el instante.

–No es una broma, ¿verdad? –preguntó ella angustiada.

–Soy un hombre ocupado. No dirijo misiones como esta por diversión –dijo él en tono crispado.

Esme se encogió con un escalofrío. Antes de que Zaid pudiera añadir algo, el vehículo se detuvo y el jefe de seguridad abrió la puerta.

Al ir a bajar, Zaid observó la palidez del rostro y las facciones tensas de Esme, y comentó:

–Son casi las dos de la madrugada. Seguiremos esta conversación una vez haya descansado.

Entonces bajó y le tendió la mano. Esme vaciló antes de, finalmente, aceptarla.

El contacto reactivó la volátil tensión que Zaid luchaba por contener, pero la ignoró con la misma determinación que ignoraba cualquier emoción desde que había vuelto a Ja'ahr. Solo así podía concentrarse en reconstruir el país que su tío había destruido. Era la misma razón por la que no se acostaba con una mujer desde hacía más de dieciocho meses; por la que trabajaba sin descanso cada día.

Aun así, descubrió que apretaba la mano de Esme y, mirando su rostro iluminado por las luces que se proyectaban desde el palacio, su especial belleza volvió a asombrarlo.

Dio media vuelta bruscamente y dejó que Fawzi y el personal se ocuparan de ella. Él tenía que atender a otras causas.

–Buenas noches, señorita Scott.

Solo había dado unos pasos cuando oyó que lo seguía.

–Espere. Por favor. Alteza.

Zaid no pudo evitar esbozar una sonrisa ante la dificultad que tenía de recordar que tenía que dirigirse a él por su título.

De hecho, se avergonzaba de haber insistido la tarde anterior en que lo hiciera. Aunque la sangre real recorriera sus venas, jamás se había impuesto a los demás por ser noble. Pero algo en Esmeralda Scott había hecho que quisiera afirmar su posición dominante sobre ella. Tal vez por ver su gesto altivo cuando alzaba la barbilla o por obligarle a hacer la reverencia que tanto odiaba en cualquier otro de sus súbditos.

–Alteza, por favor.

Zaid se detuvo en el vestíbulo. El séquito de seguridad que lo seguía a todas partes se detuvo a una distancia respetuosa.

Esmeralda se aproximó y Zaid no pudo evitar deslizar la mirada por sus piernas y las caderas que el vestido de algodón abrazaba sensualmente.

–Me va a resultar imposible dormir. Al menos hasta saber algo más de... lo que va a pasar.

Conmigo

Zaid la admiró por que callara esa palabra. Estaba decidida a no mostrarse débil a pesar de la precariedad de su situación y de la de su padre. La repercusión de su entrevista había sido mucho mayor de lo que él mismo había calculado inicialmente. Había estado pensando en cómo contrarrestarla cuando recibió el aviso de las intenciones del jefe de policía.

Despidió al personal aunque sabía que Fawzi y los guardaespaldas permanecerían alerta.

–Muy bien. Hablemos ahora.

Percibió cómo Esme tragaba con nerviosismo antes de que asintiera con la cabeza y dijera:

–Gracias, Alteza. Lo sigo.

Zaid no sabía si censurarla o alabarla por su entereza, porque la misma actitud que le había hecho actuar irreflexivamente sería la que la salvaría en los siguientes días. Los dos entraron en su ascensor privado, donde ella se apoyó en la pared más alejada a él. A Zaid le habría resultado divertido de no haberle golpeado el olor de su perfume y el aroma de su piel.

En cuanto las puertas se cerraron, a Esme se le alteró la respiración. Cuando él se inclinó para darle al botón, ella se sobresaltó y Zaid ya no pudo evitar sonreír.

—Me alegro de divertirle, Alteza.

—Puesto que he tenido que interrumpir mi noche para acudir en su ayuda, algo que todavía no me ha agradecido, pienso divertirme cuanto quiera.

Esme vaciló antes de contestar:

—Me ha dicho que esto es prácticamente un rapto. Perdone que no me deshaga en agradecimientos antes de saber si verdaderamente lo ha hecho para salvarme de algo aun peor.

Zaid no pudo evitar mirarle los labios y admirar el precioso arco de cupido del superior. Exigió un esfuerzo sobrehumano apartar la vista.

—Estoy expectante por ver cómo... se deshace en agradecimientos —dijo, antes de salir del ascensor al despacho que usaba cuando no trataba de cuestiones de Estado.

Cruzó la sala hasta un mueble-bar y preguntó:

—¿Quiere una copa?

—No, gracias —respondió ella, distraída con la contemplación de la habitación.

Una gran alfombra ocupaba el centro, rodeada de grandes almohadones y con un *hooka* en el centro, sobre una bandeja de bronce; bajo una ventana en arco había un diván sobre el que descansaban unos papeles y unas gafas de leer. La chaqueta de un traje colgaba del respaldo de una silla junto con el *keffiyeh* que Zaid se había quitado hacía horas.

Zaid no supo por qué, ver a Esme deslizar su mirada por sus objetos personales lo excitó; y al llenar un vaso con agua se planteó la posibilidad de que hubiera llegado el momento de atender a sus necesidades básicas. Pero antes de que se convirtiera en una idea definida, ese pensamiento se volatilizó. No tenía ni el tiempo ni el interés de localizar a ninguna de las mujeres de su pasado, ni tenía la menor tentación de atender a las múltiples insinuaciones de los nobles tanto de Ja'ahr como de los países vecinos, que querían casar a sus hijas con el nuevo sultán.

Pronto tendría que cumplir con el deber de casarse y tener herederos. Pero antes tenía que introducir cambios en Ja'ahr y devolverle la estabilidad. Se lo debía a su pueblo y a sus difuntos padres, quienes habían sido asesinados en nombre del poder y la codicia.

Ese recuerdo le permitió aplacar su deseo y volverse a Esme.

—Quería preguntarme algo –bebió el agua y dejó el vaso en una mesa–. Si me va a preguntar si puede marcharse por la mañana, le diré que dudo que esta situación se resuelva en tan poco tiempo.

Esme esperó a asimilar la información antes de hablar:

—Entiendo que aquí las cosas son un poco... distintas. Pero necesito tener una idea del plazo al que se refiere. No puedo quedarme indefinidamente.

—Podrá volver en algún momento, pero no de inmediato.

Esme frunció el ceño.

Y él continuó:

—Voló a Ja'ahr para apoyar a su padre. Tengo entendido que ha pedido un mes de empleo sin sueldo para ello.

—¿Cómo lo sabe? –preguntó ella, abriendo los ojos como platos.

—Es mi deber estar informado de los detalles de los casos que me ocupan. Su comportamiento de ayer hizo que hiciera algunas averiguaciones más.

Zaid no fue consciente de haberse aproximado hasta que se encontró a unos centímetros de ella; lo bastante cerca como para ver el tono gris verdoso de su ojos con mayor precisión, percibir en su rostro su expresión de sorpresa y ver el latido de su corazón en la garganta.

Se metió las manos en los bolsillos para reprimir el impulso de poner allí sus manos y sentir su piel.

–¡No puedo quedarme indefinidamente! Además, ha hablado con el jefe de policía; por eso no me arrestó –dijo ella apresuradamente.

Zaid se encogió de hombros.

–He conseguido un aplazamiento temporal, pero no quiero que se equivoque: si intenta dejar este palacio antes de que yo lo considere seguro, será apresada y encerrada en prisión. El jefe de policía tiene amigos en círculos influyentes.

Esmeralda sacudió la cabeza con expresión desconcertada al tiempo que lo miraba inquisitivamente. El movimiento hizo que sacudiera su coleta de caballo, reclamando la atención de Zaid, que lamentó recordar el impacto que le había causado al verlo suelto. Entonces Esmeralda se alejó de él, cabizbaja, rodeándose la cintura con los brazos. En el silencio cargado que los envolvió, Zaid deslizó la mirada por sus delgados hombros, su delicada espalda y el delicado mecer de sus caderas, así como la curva de sus nalgas y sus torneadas piernas.

Una súbita imagen de ella echada sobre los almohadones, con el cabello suelto y luciendo el sensual camisón de seda y encaje lo golpeó con tal fuerza que se le contrajeron los músculos del estómago. Apretó los puños dentro de los bolsillos con fuerza y entornó los párpados cuando ella se volvió hacia él.

–Sigo sin comprender por qué me ha sal... por qué ha acudido en mi ayuda.

Zaid tardó varios segundos en recordar cómo había tomado aquella decisión la tarde anterior.

Alzando la mirada, se dijo que Esmeralda Scott no se echaría en aquellos almohadones ni en ningún otro lugar de su espacio personal. A no ser que estuviera decidido a tener problemas. La mujer que tenía ante sí llevaba poco tiempo en su reino y, sin embargo, ya había provocado tensiones que podían desestabilizar todo aquello por lo que él estaba luchando. Había llegado el momento de poner límites y de colocarla en su sitio.

—A pesar de su torpeza, he decidido que me es más útil fuera que dentro de prisión.

Capítulo 5

MÁS ÚTIL? –preguntó Esme.

Zaid la miraba fijamente, con una intensidad que contenía algo que le aceleró el corazón; algo que quería negar. Pero, por más que lo intentara una parte de su cerebro, no podía dejar de concentrarse en la espectacularidad del hombre que tenía ante sí.

En el hotel, el miedo y la adrenalina habían neutralizado el efecto; pero en medio de aquel exótico y sensual salón de luces atenuadas, se sentía afectada hasta perturbadoras proporciones.

–¿Necesita que le defina la palabra? Tengo mejores usos para usted que dejar que languidezca en una cárcel.

Esme sacudió la cabeza en un gesto que empezaba a hacerse habitual ante Zaid.

–¿Quiere decir que no ha venido a rescatarme como un acto de bondad, sino pensando en que puedo prestarle un servicio?

En cuanto lo dijo fue consciente de sonar débil y angustiada, pero el hombre que tenía delante no se inmutó. Zaid Al-Ameen se encogió de hombros y, quitándose la toga que llevaba sobre la túnica, la dejó sobre una silla.

–Así es, aunque podemos negociar cómo quiere que la recompense por cumplir su tarea.

Zaid quería algo de ella. Igual que su padre durante años, hasta que ella había huido de él. Igual que todo el mundo en algún momento de su relación con ella.

La emoción que la atenazó se pareció extrañamente al dolor cuando era absurdo pensar que aquel hombre al que apenas conocía pudiera tener el poder de hacerle daño.

–¿Y qué tarea es esa? ¿Alteza? –Esme añadió el título para recordarse a sí misma el abismo que había entre ambos.

–Que repare el daño que ha causado –dijo él en tono imperioso.

–Pero ¿cómo?

–Se me ocurre una manera con la que puede restablecer su imagen.

Esme se estremeció.

–Lo siento, pero no le entiendo.

Zaid entrelazó los dedos a la espalda y los músculos de su pecho se perfilaron contra la túnica, reclamando la atención de Esme.

–Si no me equivoco, usted es trabajadora social.

Esme frunció el ceño.

–Sí.

–En Ja'ahr hay organizaciones que necesitan su conocimiento. Mientras esté aquí, trabajará para mí.

–¿Haciendo qué?

–Lo mismo que hacía en Inglaterra, ayudando a familias desestructuradas y asesorando a jóvenes que lo necesiten.

Esme se inquietó al ver con qué precisión describía sus funciones en *Contacto Global*.

–¿Qué averiguaciones ha hecho sobre mí? –preguntó Esme con el corazón acelerado ante la posibilidad de que Zaid conociera el episodio que jamás lograría borrar de su alma.

–Los detalles más relevantes.

La vaguedad de la respuesta no sirvió para tranquilizarla, pero confió en que se hubiera concentrado en su trabajo y no hubiera descubierto su secreto más oculto.

«Pero recuerda que este hombre es también conocido por su crueldad como El Carnicero», se dijo con una creciente angustia.

—¿Estamos de acuerdo? —preguntó Zaid.

Esme se sacudió su oscuro pasado de encima y negó con la cabeza:

—No, no... —se quedó callada mientras daba vueltas en su mente a la idea.

—Si está demasiado cansada y quiere descansar para poder sentirse menos confusa, podemos continuar esta conversación por la mañana.

El tono burlón de Zaid hizo reaccionar a Esme.

—No estoy confusa —calló de nuevo y tomó aire—. Para empezar, no tengo ni idea de cómo funciona su sistema de trabajo social.

Zaid se acercó lo bastante como para que ella tuviera que alzar la barbilla para mirarlo a la cara. Una vez más, tuvo la sensación de encogerse ante él.

—Los principios del cuidado social son los mismos en todas partes del mundo —dijo él.

Esme estaba de acuerdo.

—Sí, pero hay otros factores a tener en cuenta.

—¿Como cuáles?

—No hablo la lengua del país.

—Los niños aprenden inglés al mismo tiempo que árabe. Prácticamente todos los ciudadanos de Ja'ahr son bilingües.

—Solo estaré aquí un mes, para apoyar a mi padre —añadió Esme —. ¿Qué podría hacer en ese tiempo? Además, ¿dónde me alojaría?

—Aquí, en el palacio —replicó Zaid con voz grave.

—¿Con usted?

Una emoción inescrutable cruzó el rostro de Zaid, y

aunque fue tan fugaz que Esme no pudo interpretarla, se le puso la carne de gallina

–Bajo mi protección –aclaró Zaid.

A pesar de que se le alteró la respiración, Esme tuvo que decirse que docenas de personas vivían en el palacio; que ser acogida en él no significaba nada especial.

–En cuanto al plazo de tiempo –añadió él–, un mes es un plazo irrisorio.

–Es todo lo que me dieron en el trabajo.

–Si quiere permanecer aquí durante el procesamiento legal de su padre, tendrá que conseguir una extensión de sus jefes. Si quiere, puedo solicitarla yo. En las próximas cuatro semanas, como mucho, se fijará la fecha del juicio de su padre.

Esme frunció el ceño.

–¿Se necesita todo un mes para poner fecha a un juicio? Creía que estaba intentando acelerarlo.

–Sí. Por eso se celebrará como tarde dentro de seis meses.

Esme lo miró atónita y repitió.

–¿Seis meses?

–Sí. En casos normales, la fecha puede retrasarse hasta dos años.

Esme abrió los ojos como platos.

–¿Tiene tanta gente languideciendo en sus cárceles?

En cuanto las palabras escaparon de sus labios se arrepintió. Zaid retiró los ojos y su mirada se enfrió.

–Creo haberle dicho que estamos introduciendo cambios. Conseguir un nivel de tolerancia cero con la corrupción y el pleno rendimiento de cuentas es todo un reto.

Esme se mordió el labio diciéndose que debía actuar con cautela.

–Lo siento, no pretendía criticar cómo gobierna su país. Alteza.

Vio brillar los ojos de Zaid ante el tardío uso del título antes de que entornara los párpados para velar su mirada y, sin responder, pasara junto a ella hacia la mesa de reuniones. Entonces presionó un botón en un sofisticado aparato y tras decir algo rápidamente en árabe, se volvió hacia ella.

—Mi servicio la escoltará a su suite. Hablaremos por la mañana, una vez haya descansado —dijo con una firmeza que sonó a despedida.

—Pero necesito...

Él sacudió la cabeza con brusquedad.

—Tengo que atender otros asuntos, señorita Scott.

Esme miró hacia un gran reloj que había en la pared.

—¿A las tres de la madrugada?

—El despacho de un rey no cierra nunca.

—¿Y el sultán no duerme? ¿Tiene super-poderes? —preguntó Esme impulsivamente.

Se oyó una llamada a la puerta, pero no entró nadie. Quienquiera que fuera se quedó esperando a recibir permiso para entrar. Zaid lo dejó en suspenso mientras la miraba fijamente.

—¿Quiere que hablemos de mis pautas de sueño, señorita Scott? —preguntó con una inconfundible sensualidad que aceleró la sangre de Esme.

A pesar de que se sabía sobre arenas movedizas, Esme no dejó que el miedo la dominara. Habría querido decir: «Llámame Esmeralda», tal y como había hecho en una ocasión. Pero se contuvo y preguntó:

—Quería saber qué pasaría si mañana por la mañana dijera que no a su oferta.

El rostro y el cuerpo de Zaid se tensaron y en ese instante Esme comprendió a qué se debía su apodo.

—No se lo recomendaría, porque si se niega, mantendremos una conversación muy distinta —dijo con aspereza.

Esme apretó los dientes para contener el escalofrío que la recorrió, al mismo tiempo que se abría la puerta y entraba Fawzi. A pesar de la hora, estaba alerta y con la mirada aguzada. Sin apartar la mirada de Esme, Zaid habló en árabe con su secretario y este asintió.

—Si me acompaña, señora, su servicio está esperándola.

La sorpresa permitió a Esme romper el contacto visual con Zaid.

—¿Mi servicio?

Fawzi se tensó de nuevo al recibir una pregunta directa en presencia del sultán.

—Los invitados del palacio tienen asignado un servicio propio durante su estancia —explicó Zaid como si la retara a protestar.

Esme eligió la retirada aunque, a su pesar, le desilusionó dar la conversación por terminada

—Buenas noches, Alteza.

Al ir hacia la puerta vio que Zaid enarcaba una ceja burlona y se maldijo por sentir una oleada de calor en su interior. Girando el rostro para ocultárselo, el estremecimiento que la recorrió le indicó que él la seguía con la mirada hasta perderla de vista.

Una vez más, Esme sintió un súbito desánimo del que se olvidó al encontrarse frente a dos mujeres que la observaban con curiosidad. La mayor de ellas, vestida con una *abaya* morada y pañuelo en la cabeza, conseguía mantener una expresión más neutra que la joven, que la miraba con indisimulado interés.

—Estas son Nashwa, que está al cargo del ala de invitados, y su ayudante, Aisha —las presentó Fawzi—. La dejo en sus manos.

Tras su partida se produjo un breve silencio. Entonces Esme esbozó una sonrisa y dijo:

—Siento que las hayan despertado por mi culpa.

–Estamos al servicio del su Alteza –contestó Nashwa, indicando uno de los muchos corredores iluminados que partían desde el despacho de Zaid–. Sus órdenes son siempre bienvenidas.

Aisha asintió con entusiasmo, mirando a Esme de soslayo.

–Gracias en cualquier caso –dijo esta.

Nashwa la precedió por el corredor con paso firme y el suave roce de su túnica en el suelo.

Esme no pudo contener una exclamación al ver el alojamiento salmón y dorado que le habían asignado. El suelo de mármol daba acceso a una amplia sala de estar, donde había un conjunto de sofás a cuyos pies había una espléndida alfombra persa. En medio, sobre una mesa lacada en negro con incrustaciones de nácar, había un florero con el ramo de flores más grande que Esme había visto en toda su vida.

–El dormitorio está por aquí, señora –indicó Nashwa.

Esme apartó la vista del piano de media cola que decoraba la sala y la siguió por una puerta.

Una vez más, apenas pudo contener una exclamación al encontrarse con una gran cama con dosel cuyos postes estaban delicadamente tallados y con cortinajes de muselina que caían en suave cascada. A ambos lados había unas enormes lámparas marroquíes sobre dos mesillas, donde reposaban dos pequeños buqués con una deliciosa fragancia.

–Nos hemos tomado la libertad de deshacer su equipaje, señora. Aisha la ayudará con sus objetos de noche; a no ser que prefiera que le proporcionemos otra ropa.

Siguiendo la mirada de Nashwa, Esme vio un conjunto de lencería doblado sobre la cama. Se acercó y acarició la delicada seda y encaje. Era un camisón corto a juego con una bata, parecido al suyo, pero mucho más exquisito.

Todo lo que la rodeaba era hermoso y decadente, digno de ser admirado, pero ella sabía bien que nada era gratis. Esme lo había aprendido cuando su padre le había hecho elegir al cumplir catorce años entre ser entregada a los servicios sociales o ir interna a un colegio para pasar las vacaciones con él. Ella todavía no había superado el trauma del reciente abandono de su madre, así que poder pasar con su padre un par de meses al año, aun sabiendo que él estaba dispuesto a abandonarla, había representado para Esme la única opción. Hasta que también esa vida se había hecho añicos.

—¿Prefiere ese conjunto la señora? —preguntó Nashwa.

Esme retiró la mano bruscamente.

—No, gracias —carraspeó y se obligó a sonreír—. ¿Puede indicarme dónde están mis cosas?

—Por supuesto —Nashwa la acompañó a un vestidor y al cuarto de baño adyacente, que era más grande que el piso de Esme en Londres.

En medio del amplio espacio y de las numerosas repisas, sus objetos resultaban empequeñecidos. Al no ver su camisón, se acordó de que lo llevaba puesto, y al instante, recordando la forma en que Zaid la había mirado en su hotel, sintió un intenso calor interior.

—¿Necesita ayuda para desvestirse?

Esme negó con la cabeza y se masajeó las sienes.

—¿Quiere una manzanilla para relajarse? —sugirió Nashwa.

—No, gracias —Esme bajó las manos—. No creo que la necesite. Estoy muy cansada.

Tras una visita al cuarto de baño, vio que le habían abierto la cama, habían atenuado la luz y sobre la mesilla había una jarra con agua. Las dos mujeres esperaban junto a la puerta. Tras hacer una reverencia, le dieron las buenas noches y se fueron.

Una vez a solas, Esme se quitó el vestido y se metió en la cama mientras su mente repasaba los asombrosos acontecimientos del día. Era consciente de que una sola decisión podía cambiar el curso de la vida. Ella misma lo había experimentado a los diecisiete años. Pero ni aun así, habría sido capaz de prever las consecuencias de una entrevista de tres minutos.

Al llegar la mañana, exigiría poder ver a su padre.

Ese fue su primer pensamiento cuando abrió los ojos al oír el agua correr en el cuarto de baño. A continuación, Nashwa apareció y le anunció que el sultán quería verla en una hora.

Tras darse un baño, Esme se recogió el cabello, se puso el vestido negro y un cinturón dorado. Se maquilló discretamente y tras ser conducida por un laberinto de corredores, llegó al comedor.

Zaid la esperaba sentado a la mesa. La habitación, como todas las demás, era espectacular, Esme pensó que nunca se cansaría de admirar la belleza del palacio. Al fijarse en Zaid vio que llevaba un traje distinto al del día anterior, dorado y con ribetes negros. El *keffiyeh* negro que le enmarcaba el rostro hacía destacar sus hermosas facciones. Y la mirada que dedicó a Esme hizo que esta sintiera una pulsante presión en el vientre mientras se aproximaba a la mesa.

Él se puso en pie con galantería y Esme se concentró en ignorar hasta qué punto encontraba al sultán Zaid Al-Ameen perturbador. Por temor a enmudecer, dijo precipitadamente:

—Quiero ver a mi padre antes de tomar ninguna decisión.

—Buenos días, Esmeralda, confío en que haya dormido bien —dijo él burlón.

Esme se sintió súbitamente avergonzada por sus malos modales

—Lo siento. Buenos días. Alteza.

Él separó una silla de la mesa. Esme fue a sentarse pero se quedó paralizada cuando él se inclinó hacia ella y susurró:

—Puesto que vamos a pasar tiempo juntos, puedes abandonar las formalidades cuando estemos solos.

Esme lo miró desconcertada, y al ver lo cerca que estaba sintió su cuerpo arder con el calor que emanaba del de él.

—Yo... ¿cómo debo llamarlo? —musitó.

Él deslizó la mirada a sus labios antes de volverla sus ojos.

—Por mi nombre —replicó.

Esme asintió lentamente y se limitó a decir:

—Vale.

Él enarcó una ceja.

—¿Vale? Al menos podrías usar mi nombre y darme los buenos días, ¿no?

—Buenos días... Zaid.

Él la observó unos segundos antes de parpadear. A aquella distancia, Esme pudo apreciar sus largas pestañas. Él esbozó una sonrisa burlona al sentirse observado.

—Siéntate, Esmeralda. El desayuno se está enfriando.

Ella obedeció y consiguió tomar unos bocados mientras varios miembros del personal se acercaban a hablar con Zaid. Era evidente que para él se trataba de un desayuno de trabajo, y Esme aprovechó para intentar concentrar sus dispersos pensamientos.

Hasta que vio acercarse a Fawzi y el sexto sentido que había desarrollado con su padre le indicó que era portador de malas noticias.

Aunque no la miró, incluso antes de que musitara algo al oído de su señor, antes de que Zaid apretara los dientes y mirara en su dirección, Esme sintió un peso en el pecho.

–¿Qué ha pasado? –preguntó alarmada.

–Ha habido otro incidente en la cárcel.

Capítulo 6

ESME siguió a Zaid aun sin saber dónde iban.

—Creía que mi padre seguía en el hospital –dijo ella.

—Por lo visto lo devolvieron a su celda en mitad de la noche.

A Esme se le encogió el corazón.

—¿Le han vuelto a atacar?

—Todavía no sé los detalles, pero pronto los conoceremos.

La determinación de Zaid no dejaba lugar a dudas. Lo que sorprendió a Esme al ver que se acercaban a una puerta doble custodiada por centinelas que la abrieron a su paso y ver que accedían a una terraza amurallada, fue descubrir que Zaid iba a buscar respuestas en persona.

Unas escaleras de piedra descendían a un inmenso jardín en cuyo centro había un helipuerto sobre el que había tres helicópteros con la insignia real.

El tiempo se ralentizó; Esme percibió uno zumbido en los oídos y le sudaron las manos al ver que Zaid se aproximaba a uno de ellos. Al notar que titubeaba, Zaid se volvió a ella bruscamente.

—¿Pasa algo? –preguntó con aspereza.

Su voz hizo que el tiempo se acelerara en un caleidoscopio de dolorosos recuerdos.

Las Vegas. Un vuelo en helicóptero sobre el Gran Cañón.

Sonrisas esperanzadas y una torpe proposición de matrimonio. La expresión desconcertada de Bryan al descubrir la verdad...

–¿Te encuentras mal? –insistió Zaid.

Esme se sobresaltó, volviendo al presente. Zaid la observaba con expresión sombría.

–No-no me gustan los helicópteros.

–¿Padeces de vértigo?

Lo más sencillo habría sido mentir y decir que sí. Pero la verdad era que su único viaje en helicóptero había sido una maravillosa experiencia. Lo malo había llegado después. Su padre había tendido la trampa, pero ella había conducido a Bryan hasta ella involuntariamente. Y nunca se lo perdonaría.

–No precisamente. Es solo que no me gustan.

–¿Aunque sean la forma más rápida de llegar junto a tu padre?

–¿Cuánto tardaríamos en coche?

–Teniendo en cuenta que está a punto de producirse un motín, demasiado.

Esme se quedó sin aliento.

–¿Cómo?

–Tu padre no es la única persona que me preocupa, Esmeralda. Pero si quieres llegar pronto junto a él, tenemos que partir.

Ella tragó saliva y asintió.

–De acuerdo.

Zaid la tomó por el codo y Esme sintió que sus sentidos se alteraban aún más al tiempo que la recorría un escalofrío al aproximarse al helicóptero

Zaid no pareció notarlo porque centraba su atención en el piloto que los saludó militarmente y les abrió la puerta. Un guardaespaldas se sentó junto a este y otros cuatro subieron al otro helicóptero.

Zaid la ayudó a subir. Los dos asientos enfrentados

estaban aislados del cubículo del piloto, lo que les otorgaba una completa privacidad.

Zaid se sentó y la instó:

–Ponte el cinturón de seguridad.

Esme obedeció con dedos temblorosos, consciente de que él la miraba con expresión inquisitiva. Alzó la cabeza y dijo:

–Estoy bien. No temas que vaya a darme un ataque de pánico.

–¿Te importaría explicarme qué ha pasado?

Esme se mordió el labio. Una de las muchas promesas que se había hecho al dejar a su padre, ocho años atrás, era decir la verdad por más brutal que esta fuera. De haberse enfrentado a su padre entonces, quizá Bryan seguiría vivo.

Pero sincerarse con Zaid en aquel momento, no solo la dejaba expuesta a ella, sino que daba pie a la aniquilación de su padre, puesto que Zaid era el fiscal decidido a encausarlo. Aun así, podía dar una explicación parcial.

–Hace mucho tiempo, tuve una mala experiencia en un vuelo en helicóptero.

–¿Dónde?

–Eso no tiene importancia.

Zaid se limitó a enarcar las cejas, indicando que exigía una respuesta.

–En... Las Vegas.

–¿Estabas con un amante?

Esme sintió que se quedaba sin aire al ver la expresión severa con la que Zaid la miró. Habría querido decirle que no era de su incumbencia, pero se dio cuenta de que negar la existencia de Bryan era una manera de deshonrar al hombre que había quedado marcado al asociarse con ella.

Vaciló antes de suspirar y decir finalmente.

–Estaba con alguien a quien yo le importaba –Bryan no era su amante, pero si era el motivo por el que nunca había tenido uno. La razón por la que, a los veinticinco años, seguía siendo virgen.

–¿Fuiste tú la culpable de que la experiencia acabara mal?

–¿Qué te hace pensar eso?

–No podría hacer bien mi trabajo si no tuviera una buena capacidad de deducción, Esmeralda. Has elegido tus palabras cuidadosamente, pero corrígeme si me equivoco al pensar que acabó mal porque cambiaste de idea respecto a que vuestra relación siguiera adelante.

La suposición estaba tan cerca de la verdad que Esme enmudeció. Zaid se tomó su silencio como una confirmación y su mirada se endureció.

–Deja que adivine: él quiso dar un paso adelante y tú decidiste súbitamente que preferías estar en otra parte.

–Haces que suene tan... calculadora –lo que describía a la perfección la forma en que Jeffrey Scott había acabado con Bryan.

–¿De verdad? Si no fue eso, ¿qué pasó? ¿Cuál fue la mala experiencia que todavía hace que se te revuelvan las entrañas de culpabilidad? –preguntó Zaid con despectiva superioridad.

Puesto que había percibido su sentimiento de culpabilidad, Esme supo que no podía esconderse.

–Él... me propuso matrimonio...después del vuelo.

Zaid lanzó una mirada a su mano antes de decir:

–Evidentemente lo rechazaste.

¿Por qué parecía satisfecho? ¿Se alegraba de demostrar que había sido tan cruel como se había visto obligada a serlo con Bryan?

–Así es. No podía casarme con él.

En parte porque ni siquiera tenía dieciocho años, y Bryan veintiuno. Además, porque no estaba enamorada de él. Y eso antes incluso de saber lo que su padre le había hecho.

—¿Por qué no?

—Porque no.

Aunque Zaid siguió mirándola, no insistió. Lo que fue un alivio para Esme, porque todo lo que sucedió a continuación seguía corroyéndola por dentro como un ácido, aun después de tanto tiempo. El dolor nunca desaparecería, aunque confiar en que alguna vez remitiera lo bastante como para poder forjarse una vida de la que enorgullecerse. A ello dedicaba sus días.

El súbito descenso del helicóptero hizo que se asiera al asiento. Miró por la ventanilla y vio que se acercaban a su destino. Como las cárceles de todo el mundo, aquella consistía en un conjunto de edificios interconectados, rodeados de un muro alambrado y con torretas con guardas armados hasta los dientes. A pesar de las cosas espantosas que había hecho, imaginar que su padre pudiera pasar el resto de sus días allí...

—Relájate —dijo Zaid—. Vas a romper el asiento.

Esme vio que tenía los nudillos blancos. Respiró profundamente y miró de nuevo al exterior. No había ninguna señal de alteraciones, lo que debía de haberla tranquilizado. Pero de pronto miró a Zaid y preguntó:

—¿Es una buena idea que estés aquí?

Él frunció el ceño.

—¿Qué quieres decir?

—Eres el sultán y probablemente el responsable de que muchos criminales estén encarcelados... ¿No corres peligro?

—¿Te preocupa mi seguridad, Esmeralda? —preguntó él en un tono dulce que hizo que una descarga eléctrica la atravesara.

—Solo era un comentario —contestó.

La peligrosa sensualidad se borró del rostro de Zaid

y fue reemplazada por el gesto de determinación que ella empezaba a asociar con el sultán de Ja'ahr.

—¿Piensas que voy a protegerme tras los muros de mi palacio en un momento de crisis?

Esme estaba segura de que Zaid Al-Ameen no se acobardaba ante nada.

—No, pero eso no significa que debas ponerte en peligro. ¿Y si te pasara algo?

—Así que te preocupa que pueda sufrir algún daño —el tono fue claramente burlón, pero también se tiñó de una sensualidad que le acarició los sentidos, moviendo a Esme a mirarlo.

Zaid la observaba con una expresión magnética que despertó en ella un curioso anhelo. Cuando él bajó la mirada a sus labios, ella los entreabrió, sintiendo que le faltaba el aliento, y no pudo resistir el impulso de humedecérselos. La mirada de él se veló al seguir el movimiento de su lengua.

—Es natural preocuparse por la seguridad de otra persona —dijo Esme en un tono ronco, cargado de emociones a las que no quiso poner nombre.

Un toque de escepticismo cruzó el rostro de Zaid.

—En mi experiencia, los actos de altruismo nunca son gratuitos.

El helicóptero aterrizó suavemente en una plataforma próxima al perímetro exterior de la prisión. Ninguno de los dos hizo ademán de bajar. Estaban envueltos en una atmósfera demasiado íntima y poderosa como para romperla.

—Piensa lo que quieras. Pero mi inquietud no tiene un precio —dijo Esme.

—Puede que ahora mismo, no. ¿Puedes decir lo mismo respecto al futuro? —preguntó Zaid.

—Ni tú ni yo podemos predecir el futuro, Zaid.

Él forzó una sonrisa que no alcanzó sus ojos.

–Por mi propio interés debo estar preparado para lo que pueda pasar

–¿Eso incluye rechazar el apoyo emocional que se te ofrece? ¿Qué clase de vida es esa?

–Una en la que nada me toma por sorpresa.

Esme se quedó sin palabras. Pasaron unos segundos antes de que Zaid hiciera un gesto cortés con la mano. Las puertas se abrieron. Él bajó y tendió la mano a Esme.

Ella intentó protegerse de la descarga de energía erótica que recibiría cuando lo tocara, pero no sirvió de nada. En cuanto sus palmas se rozaron, la electricidad le recorrió la piel. La exclamación ahogada de ella encontró eco en una de Zaid.

Esme no supo si alegrarse o aterrorizarse de que él se sintiera tan alterado como ella. Desde Bryan, había evitado cualquier vínculo emocional. El coste de su único error había sido demasiado elevado como para permitirse volver a bajar la guardia. Aun así, saber que no estaba sola, que no estaba imaginándose la poderosa química que había entre ellos, hizo que le resultara más fácil sobrellevarla. Por otro lado, era evidente que Zaid no tenía la menor intención de permitir que aquella perturbadora reacción llegara a afectarlo, así que su temor era infundado.

Tranquilizada con esa reflexión, se atrevió a mirar a Zaid, pero la intensidad con la que este la observaba hizo que se le erizara el cabello.

–Si tuviéramos tiempo, me encantaría descubrir qué maquinaciones están teniendo lugar tras ese precioso rostro –musitó él.

Antes de que Esme pudiera contestar, un hombre alto y grácil se acercó y se inclinó ante el sultán. Intercambiaron unas palabras tras las cuales Zaid se volvió hacia ella adoptando de nuevo el aire imperial de señor del desierto.

–Este es el alcaide. Ha arreglado un encuentro con tu padre. Yo tengo que atender otros asuntos.

Cruzaron tres controles de seguridad y llegaron a un vestíbulo sorprendentemente luminoso.

–Traerán a su padre en breve, señorita Scott –dijo el alcaide, indicando unos asientos.

–Gracias –dijo Esme. Y su mirada siguió a Zaid que daba instrucciones a dos guardaespaldas.

Asombrada, vio que se acercaban y la flaqueaban. Zaid la miró por un instante antes de marcharse con el alcaide.

Esme se preguntó si pretendía protegerla o controlarla, pero en ese momento se abrió una puerta y el corazón le saltó a la garganta.

A pesar de ir en silla de ruedas, su padre estaba encadenado de manos y piernas, pero eso no fue lo que le causó más impacto.

El Jeffrey Scott al que había abandonado ocho años atrás, era la quintaesencia del caballero inglés, apenas tenía las sienes canosas y su aspecto era siempre impecable.

El hombre que tenía ante sí estaba extremadamente pálido, tenía el cabello completamente blanco y llevaba barba. En la frente y las mejillas quedaban huellas de la pelea en la que se había visto implicado.

Él vio la reacción de Esme y sonrió mientras el guarda que lo acompañaba ponía el freno a la silla y se alejaba unos pasos.

Se miraron prolongadamente antes de que él tirara de las decenas y riera con amargura.

–Sé que, al contrario que tú, tengo un aspecto deplorable.

Y al instante, el tenue sentimiento de culpabilidad que siempre había subyacido a la relación de Esme con su padre, amenazó con brotar a la superficie.

Antes de que ella naciera, sus padres habían tenido una vida lujosa, financiada por el fraude. Entonces Abigail Scott se había quedado embarazada y había querido asentarse. Su marido se había resignado a la vida doméstica durante unos años, hasta que había sucumbido a sus viejos hábitos. Las peleas y desacuerdos habían concluido con la madre de Esme abandonándolos cuando ella tenía catorce años. Se había mudado a Australia, donde había muerto un años más tarde al caerse de un caballo.

Durante meses, Esme había visto cómo su padre intentaba decidir qué hacer con ella, hasta que finalmente había emitido el ultimátum de que eligiera entre ir interna o a una casa de acogida con la clara intención de que optara por la segunda opción. Pero Esme, para quien él era lo único que le quedaba en el mundo, había elegido pasar las vacaciones con él aunque desaprobara la vida que llevaba.

Había tardado demasiado tiempo en darse cuenta de lo poco que la quería el hombre que debía de haber cuidado de ella durante su infancia, y de que quizá le habría ido mejor en una casa de acogida.

Apartando de sí el dolor, miró a su padre, que añadió:

–Estás muy guapa, Esmeralda. Aún más que en la televisión.

–¿Me has visto?

Él sonrió con picardía.

–Unas doce veces. Hasta que el alcaide lo prohibió. Gracias por atacarlos.

–Puede que haya causado más daño que otra cosa.

–¿Y a quién le importa? –dijo él, encogiéndose de hombros.

–A mí –contestó ella, frunciendo el ceño.

La sonrisa se borró del rostro de su padre al tiempo que su mirada se endurecía.

–Siempre has sido demasiado buena para tu propio bien. Pero no te castigues. Has conseguido lo que querías, ¿no?

–¿A qué precio? ¿No está organizándose un motín por mi culpa?

–Eso no es nada excepcional –echó una mirada hacia el guarda antes de inclinarse hacia adelante y susurrar–. Pero podemos sacar ventaja. En cuanto te vi en la televisión, supe que las cosas iban a mejorar.

–Es imposible que predijeras que iba a pasar esto –dijo Esme.

Su padre la miró con desdén.

–¿Cuántas veces me has visto apostar al ganador menos probable y tener éxito?

Con el corazón acelerado, Esme preguntó:

–¿Quieres decir que has jugado con tu salud, con tu vida?

Su padre se echó hacia atrás con un resoplido.

–¿Qué vida? Prefiero jugar una última partida de dados que quedarme aquí. Y está claro que no me he equivocado. ¿O no son verdad los rumores de que estás viviendo con el sultán?

–¿Cómo...? –Esme sacudió la cabeza–. No en el sentido que insinúas...

–¡No me mientas!

Esme se enfureció.

–¡No te miento! No pienso mentir ni por ti ni por nadie.

–Es una lástima. Lo habrías hecho muy bien si no hubieras sido tan buena y tan aburrida.

La rabia fue sustituida por la tristeza.

–Era una niña, papá. Una niña a la que chantajeaste y manipulaste para conseguir ganancias.

–Esas ganancias que tanto desprecias pagaron tu

colegio y tu comida, y te proporcionaron una vida que cualquiera habría envidiado.

–Eras... Eres un estafador –susurró Esme.

–Y tú te beneficiaste de mis éxitos –una sonrisa iluminó su rostro–. ¿Sabe el sultán lo que le hiciste a ese pobre idiota en Las Vegas?

Esme sintió que se le helaba la sangre.

–Ese hombre se llamaba Bryan. Y yo no le hice nada. Era mi amigo hasta que tú lo estropeaste todo.

–Contéstame: ¿lo sabe el gran hombre?

Esme parpadeó para contener las lágrimas.

–No le he contado detalles de mi vida.

Su padre se puso serio.

–¿Porque no piensas quedarte?

–Permaneceré aquí hasta tu juicio.

–¿Y cuando me encierren piensas lavarte las manos? –preguntó él despectivamente.

–Yo no...

Las cadenas resonaron al cortar su padre el aire con la mano.

–Olvídalo. Puede que muera antes de todo eso.

–¡No hables así! –exclamó Esme.

–¿Por qué no? Se ve que confiaba demasiado en que hubieras olvidado el pasado...

Se interrumpió al ser asaltado por un violento ataque de tos y el sonido simultáneo de las cadenas. Se llevó la mano a la boca y cuando la bajó, sucedieron tres cosas simultáneamente.

A Esme se le encogió el corazón al ver su mano manchada de sangre; su padre la miró un instante antes de que se le pusieran los ojos en blanco y su cuerpo se deslizara hacia un lado de la silla y Zaid entró en la habitación, justo cuando Esme se lanzaba hacia su padre.

–¡Esmeralda!

Esta apenas oyó su voz ni notó que se acercara al caer ella de rodillas junto a la silla de ruedas.

–¡Papá!

–Sepárate de él, Esmeralda.

–¡No! –aterrada, Esme puso la mano en la mejilla de su padre–. ¡Papá!

No obtuvo respuesta.

Zaid habló en árabe precipitadamente y Esme oyó el sonido de pasos corriendo.

–Esmeralda.

Unas manos fuertes la asieron por los hombros. Ella se volvió a ciegas y asiendo las solapas de Zaid suplicó:

–Haré lo que quieras. Por favor, ayúdalo.

Capítulo 7

LA SIGUIENTE semana pasó para Esme en una nebulosa.

Su padre fue diagnosticado de bronquitis severa y posible neumonía, y recibió la noticia con la misma actitud fatalista que parecía dominar su estado de ánimo.

Con una creciente desesperación, al volver del hospital Esme había vuelto a suplicar a Zaid que actuara.

—¿Qué quieres qué haga? —había preguntado él.

—¡Lo que sea! Por favor, Zaid. Su abogado no habla con él. Estoy segura de que puedes intervenir de alguna manera.

—¿Cómo?

—No te pido nada ilegal. ¿No puedes ofrecerle protección? Y no me digas que es un criminal. Todavía no lo han declarado culpable en un juicio. Si tanto te importa el imperio de la ley, demuéstralo tratándolo como a un ser humano.

Zaid se aproximó a ella con la mirada turbia.

—¿Quieres ayudar a tu padre?

—Sí.

—Y tal y como has dicho antes, ¿estás dispuesta a hacer cualquier cosa a cambio?

A pesar de sentir un nudo en el estómago, Esme respondió:

—Sí.

—Muy bien, pronto sabrás los detalles exactos.

«Pronto» había consistido en varios días de completo silencio hasta aquel día, en el que Zaid la había hecho ir a una casa a dos horas de la ciudad de Ja'ahr.

El viaje a Jeddebah se le había hecho tan árido como el paisaje que rodeaba la espectacular propiedad en la que se encontraba en aquel momento, aunque no podía negar que no estaba exento de belleza, como las montañas que divisaba hacia el este, que contrastaban con el desierto que se extendía hacia el oeste y que acababa en las turbulentas aguas del Golfo Pérsico.

Esme había llegado hacía tres horas, media hora antes de que una escolta de seguridad condujera allí a su padre.

Ella había respirado aliviada al ver que estaba de mucho mejor humor, a pesar de los guardas armados y el monitor de localización que llevaba en el tobillo izquierdo. Aunque debilitado, Jeffrey Scott no tardó en hacerse dueño del lugar. Un lugar que Esme le había conseguido a un precio que todavía desconocía.

Por la mañana, Fawzi le había anunciado que su padre había sido transferido a prisión domiciliaria, pero el secretario no le había dado ninguna otra información, ni había nombrado a Zaid.

Pero Esme sabía que pronto sabría más.

Hacía unos minutos había visto aterrizar un helicóptero en la gran explanada verde que separaba la casa de los escarpados precipicios que rodeaban la propiedad. Desde la ventana, había seguido la figura alta e imponente que se inclinó bajo las aspas y se dirigió hacia la casa. La túnica negra flotaba en el aire. Y cuando desapareció de su vista, Esme fue súbitamente consciente de que había echado de menos a Zaid.

Estaba todavía paralizada por el desconcierto cuando sintió su presencia a su espalda, aunque se obligó a permanecer inmóvil e ignorar el cosquilleo en la piel y la vibración en todo el cuerpo que sintió de inmediato. No podía dejar que las emociones la dominaran.

–¿No piensas saludarme, Esmeralda? –preguntó Zaid pausadamente.

El vello de esta se erizó al oír la sensualidad con la que pronunciaba su nombre. Apretó los puños para controlar su reacción y se volvió.

–Hola, Za... Alteza –decidió no usar su nombre para establecer entre ellos una distancia que le hiciera sentirse más segura–. Gracias por organizar esto para mi padre, y por los cuidados que ha recibido en el hospital.

–¿Es esta la forma de deshacerte en agradecimientos que me habías prometido? –preguntó él con sorna, adentrándose en la habitación con la agilidad de un depredador.

La repetición de sus palabras hizo sonrojar a Esme. Zaid se detuvo ante ella, obligándole a alzar la cabeza para mirarlo.

–Si eso es lo que esperas de mí... –dijo mientras intentaba dominar la descarga de calor que la recorrió.

Zaid tardó unos segundos en responder.

–Preferiría que el motivo de tu agradecimiento no fuera tu padre –dijo cortante. Y mirando alrededor, añadió–: Me dicen que está más contento con su nuevo alojamiento.

–Sí.

–¿Sabes que ha organizado todo esto precisamente para que lo sacáramos de la cárcel?

A Esme se le encogió el corazón porque ella había pensado exactamente lo mismo.

–Puede ser. Pero lo cierto es que tanto su salud como su seguridad peligraban en prisión.

Zaid le acarició la mejilla con delicadeza, pero su mirada transmitía amargura. Esme se estremeció en anticipación de lo que iba a oír.

–Sea por el motivo que sea, yo tenía razón: todo tiene un precio.

–Pero los dos conseguimos lo que queremos. ¿No es eso lo que importa? –la voz de Esme fue apenas un murmullo. La contradicción entre la caricia y la aspereza de su tono le impedía concentrarse.

–¿Así justificas acudir en auxilio de un criminal? –preguntó él en tono acusador.

Esme retiró el rostro de la mano de Zaid.

–Lo ayudo porque, sea o no un criminal, no merece que lo agredan. Haría lo mismo por cualquiera.

–Pero lo haces por tu padre, aun sabiendo el tipo de hombre que es.

–¿Has venido solo para insultarnos a mi padre y a mí?

–He venido para llevarte de vuelta al palacio. Tenemos que ultimar los detalles de nuestro acuerdo.

Esme se estremeció.

–Pero mi padre...

–Estará perfectamente. Uno de los guardas es médico militar. Además, nuestro acuerdo no incluye que juegues a enfermera.

–¿Y qué incluye? Sigo sin saberlo.

–Lo sabrás en palacio. Ahora, si quieres, despídete de tu padre.

–Aquí estoy.

Zaid se tensó y tanto él como Esme se volvieron hacia la puerta.

Jeffrey, recién duchado y afeitado, los miró alternativamente. Luego hizo una reverencia.

–Alteza, permítame que le exprese mi gratitud.

–Dele las gracias a su hija –dijo Zaid irritado.

Su padre la observó especulativamente.

–¿De verdad? Espero que no haya sido a un coste excesivo. No sé qué haría sin ella –miró entonces a Zaid–. Es la única familia que me queda.

Los hombres intercambiaron una marida que hizo que a Esme se le erizara el vello, pero entonces su padre sonrió y preguntó:

—¿Esmeralda, te quedas a cenar?

—No —contestó Zaid por ella—. Y recuerde, señor Scott, que lo único que ha cambiado es su ubicación, y temporalmente. Habrá notado que está aislado y sin posibilidad de escape. Hay un dron vigilando el perímetro las veinticuatro horas del día. No cometa ninguna estupidez. En cuanto a su hija, desde hoy solo podrá visitarlo en las horas estipuladas: una vez a la semana, al mediodía.

Jeffrey inclinó la cabeza.

—Comprendido, Alteza.

Zaid se volvió hacia Esme.

—Nos vamos —dijo en un tono que no dejaba lugar a discusión.

Aunque Esme se había sentido aliviada de no tener una prolongada despedida con su padre en privado. Seguía alterada cuando ocupó su asiento en el helicóptero. Zaid se giró en el suyo hacia ella y Esme se sobresaltó cuando su túnica le rozó la pierna.

—¿Vas a hablar conmigo, Esmeralda, o vas a permanecer en silencio el resto del viaje?

Ella se volvió y se arrepintió al instante al sentir una descarga eléctrica.

—¿Tenías que hablarle así?

—¿Cómo? ¿Querías que lo tratara como si no viviera gracias a explotar la debilidad de los demás? Dime que no estaba intentando sacar provecho de las circunstancias y me disculparé.

Esme no respondió porque no podía negar la acusación. Se produjo un prolongado silencio, hasta que a ella se le hizo insoportable.

–A pesar de todo, es mi padre. ¿Si fueras yo, le darías la espalda?

–La vida de mi padre fue de una integridad ejemplar. Jamás me he visto en esa tesitura –contesto él con un palpable orgullo.

Pero en lo que Esme se fijó fue en que había usado el pasado.

–¿Ha fallecido? –preguntó.

Se dio cuenta de que aunque sabía que Zaid había heredado el trono de su tío, no había leído nada sobre sus padres. De hecho, apenas había información sobre la infancia o la adolescencia de Zaid.

Lo miró al ver que permanecía en silencio y vio que estaba tenso. Incluso antes de que hablara, supo que iba a hacer una revelación importante.

–Mi padre murió hace mucho tiempo.

–¿Y tu madre?

Zaid apretó los labios en una pasajera mueca de dolor.

–Murieron juntos.

Esme olvidó que se había dicho que no debía tratar temas personales. Preguntó:

–¿Cómo?

En la penumbra pudo intuir la expresión sombría de Zaid

–Fueron asesinados por mi tío cuando volvíamos a casa después de celebrar mi decimotercer cumpleaños.

El espanto paralizó a Esme unos segundos.

–Oh, Zaid... Dios mío... ¡No sé qué decir!

–No es fácil encontrar las palabras adecuadas en una circunstancia así.

–Siento haber insistido –Esme lamentaba haberle hecho recordar el pasado.

Zaid se encogió de hombros y la miró fijamente.

–Soy un libro abierto, Esmeralda. Pregunta y te contestaré.

La expresión coloquial hizo recordar a Esme que había crecido en Estados Unidos.

—¿Fue... entonces cuando te mudaste a Estados Unidos?

—Mi vida aquí corría peligro.

Esme contuvo el aliento.

—¿Tu tío también quería verte muerto?

—Quería el trono. Eso significaba acabar con cualquiera que se interpusiera en su camino. Si yo no morí aquella noche fue porque mi padre me protegió con su cuerpo y sus guardaespaldas dieron la alarma antes de que los hombres de Khalid me remataran.

Aunque hablara sin ápice de emoción, Esme podía ver el dolor en sus ojos.

—¿Qué-qué pasó después?

—Khalid no podía ejecutar a un niño sin incurrir en la ira del pueblo, aunque supieran cómo había llegado a ser sultán. Me envió con mi abuela materna y me hizo salir de Ja'ahr con la condición de que no volviera. Así fue como un asesino y un déspota se hizo con el poder y gobernó el país durante veinte años.

Esme necesitó unos minutos para asimilar la información.

—¿Por eso te hiciste abogado? ¿Para castigar a criminales? ¿Para intentar derrocarlo?

Zaid sonrió con amargura.

—He dedicado cada día de mi vida a intentar denunciar sus crímenes. Pero Khalid sucumbió a sus propios excesos y murió de un ataque al corazón, privándome del placer de presentarlo ante la justicia.

Esme se estremeció al comprender por qué había quien lo veía como un gobernador implacable y por qué no confiaba en nadie.

Pero por encima de todo, Esme supo, al mirarlo, que esa era también al razón por la que no podía permitir que conociera su pasado. Lo que había sucedido con Bryan jamás podría borrarse de su pasado por más que ella no fuera culpable. Y Zaid jamás mostraría la menor compasión hacía su padre si llegaba a enterarse.

Miró a Zaid a los ojos y dijo:

–Lo siento. No pretendía hacerte recordar el pasado.

–Sentir curiosidad es natural, especialmente para las mujeres.

El tono levemente burlón de Zaid hizo que se volviera hacia él y, en un acto reflejo que la desconcertó, posó su mano sobre la de él y dijo:

–Como lo es la empatía. Te acompaño en el sentimiento –dijo conmovida.

En lugar de responder, Zaid bajó la mirada hacia sus manos unidas y la electricidad que había entre ellos se intensificó. En silencio, giró la mano para atrapar la de Esme bajo la suya, y ella sintió un calor tan intenso como si le hubiera aplicado una llama. No tenía sentido que la mera visión de sus manos unidas le resultara tan erótica, pero lo era.

Zaid deslizó su mano sobre la de ella y una exclamación ahogada escapó de los labios de Esme al sentir el calor concentrarse entre sus muslos. Alzó la mirada una fracción de segundo antes de darse cuenta de lo que Zaid iba a hacer. Podría haberlo rechazado, protestar, pero no se movió, sino que contuvo el aliento mientras Zaid deslizaba su otra mano por su cabello hasta su nuca y la traía hacia sí para besarla.

Como él, el beso fue dominante y firme. Zaid sabía a café y a una especia desconocida para ella. Sabía como todos los deseos que Esme se había prohibido a lo largo de los años. Pero era imposible resistirse a aquel hombre que ya dominaba su mente.

Excitado y anhelante, decidido a conquistarla, Zaid la presionó contra el asiento, girando la cabeza para amoldar sus labios a los de ella. Esme los entreabrió, proporcionándole la entrada que le pedía. La lenta y sensual caricia de su lengua sobre su labio inferior arrancó un gemido de su garganta. Como si el sonido le agradara, Zaid repitió el movimiento antes de mordisquearle el labio para luego introducir la lengua en su boca. Una flecha de placer se clavó en la zona más sensible de Esme, despertando en ella un poderoso deseo.

Él enredó los dedos en su cabello y Esme abrió aún más los labios y alzó la mano de su regazo al pecho de Zaid, que dejó escapar un gemido y la estrechó con fuerza.

Al sentir el corazón de Zaid latir aceleradamente, Esme sintió una emoción que prefirió ignorar. Deslizó la mano por sus musculosos brazos, las subió a su nuca y Zaid masculló algo en árabe antes de que el beso adquiriera un carácter más frenético. Esme sintió una sacudida interior, y de pronto se dio cuenta de que el movimiento no tenía lugar solo dentro de ella.

El sonido de la puerta del piloto abriéndose les anunció que llegaban a palacio. Esme se separó bruscamente de Zaid aunque él intentó retenerla. Finalmente, se acomodó en su asiento, escrutando su rostro con un abierto deseo antes de soltarla.

–Vamos. Continuaremos en palacio –dijo con voz ronca antes de hacer una señal a sus guardas.

La idea de que Zaid asumiera que caería en sus brazos... o en su cama, indignó a Esme, pero dado que estaban rodeados de su séquito, contuvo su irritación y caminó a su lado en silencio.

Concentrada en su enfado, no se dio cuenta de dónde estaban hasta que el olor a comida le hizo la boca agua.

–¿Vamos a cenar? –preguntó en cuanto se quedaron a solas.

Zaid la miró con expresión divertida aunque sus ojos conservaban un calor que indicaba que seguía atrapado por la pasión de unos minutos atrás.

–¿Pensabas que iba a arrastrarte a la cama?

Esme se sonrojó, avergonzada. Aun así, alzó la barbilla.

–Lo dices como si antes o después fuera a suceder.

Zaid fue hacia ella, se retiró el *keffiyeh* y la toga, quedándose en túnica y pantalones. Esme contuvo el aliento cuando él le pasó el pulgar por los labios al tiempo que los miraba con indisimulado deseo antes de mirarla a los ojos.

–No me avergüenza decir que te deseo, Esmeralda. Y lo que acaba de suceder me indica que el sentimiento es mutuo. Por eso estoy deseando explorar a dónde nos conduce –la promesa erótica de delicias sensuales que prometía su voz provocó una reacción pulsante en el cuerpo de Esme que la dejó a un tiempo anhelante y aterrada.

El último sentimiento la hizo retroceder.

–No va a conducirnos a ninguna parte –masculló como si necesitara oírlo y creerlo ella más que él.

Un destello de arrogancia masculina iluminó los ojos de Zaid.

–¿Estás segura? –preguntó retador.

Esme dio otro paso atrás.

–Sí. Lo que ha pasado ha sido un error que no volverá a repetirse.

La forma en la que Zaid borró todo vestigio de excitación de su rostro fue casi milagrosa. Y Esme se preguntó por qué se sentía tan desilusionada, por qué lamentaba haberlo rechazado tan tajantemente.

Capítulo 8

MUY BIEN. Pero nos queda pendiente hablar de nuestro acuerdo –dijo Zaid girándose bruscamente hacia la mesa–. Lo haremos mientras cenamos. ¿O también te niegas a cenar?

–No, cenemos –dijo Esme, siguiéndolo a la vez que observaba el comedor, que no era el mismo que habían usado anteriormente–. ¿En qué parte del palacio estamos? –preguntó cuando ya estaban sentados a la mesa.

–En mi ala privada.

En la que estaba su dormitorio, pensó Esme, que no lograba salir de su estado de confusión. ¿Estarían al lado del dormitorio? ¿Dormía Zaid solo? Era la primera vez que se preguntaba si tendría un harem.

La pregunta se le quedó en la punta de la lengua y para no hacerla, se concentró en servirse un plato de cuscús y una selección de carnes. Tal y como le habían explicado, sabía que se asaban lentamente con miel, especias y frutos secos, y eran deliciosas.

–Espero que no te incomode –comentó Zaid. Y Esme se dio cuenta de que estaba esperando a ver cómo reaccionaba a su última respuesta.

–En absoluto –contestó ella, fingiendo indiferencia.

La leve curva de los labios de Zaid le indicó que no llegaba a creerla, pero no la contradijo.

Comieron el primer plato en silencio mientras la tensión iba en aumento.

–Esta tarde he renunciado como fiscal del caso de tu padre.

Era lo último que Esme esperaba que dijera, y aunque inicialmente le produjo alivio, a continuación la inquietó.

–¿Por qué?

–No quiero que haya un conflicto por mi asociación contigo.

–No tenemos ninguna... asociación.

Los ojos de Zaid refulgieron por un instante.

–No, pero espero que pronto la tengamos... aunque solo sea profesional.

Esme dejó escapar el aire que había estado conteniendo.

–Ah.... ¿Quién te sustituirá?

–Eso depende del fiscal general. Me presentará a los candidatos al final de la semana.

Antes de que Esme pudiera hacer más preguntas entraron dos mayordomos para retirar los platos y llevar el postre, y Esme no pudo resistirse a los dátiles rellenos de queso de cabra, las galletas de mantequilla y los pasteles de pistacho.

–*Contacto Global* tiene una sede en Ja'ahr –dijo Zaid en cuanto se quedaron solos.

Esme se puso alerta.

–No tenía ni idea.

–Hasta hace poco, su programa social no tenía aliados en mi reino –explicó Zaid.

Se refería a antes de la muerte de Khalid Al-Ameen y su ascenso al trono. La consciencia de que la corrupción del Estado era culpa de su tío y no de Zaid golpeó en ese momento plenamente a Esme, y se sintió culpable por las acusaciones que había hecho en la televisión.

–¿Y cómo quieres que te pague por lo que has hecho por mi padre? ¿Trabajando aquí en la sede de *Contacto Global*?

Zaid se metió un dátil en la boca y Esme se quedó hipnotizada viéndole masticarlo lentamente, siguiendo el movimiento de sus sensuales labios. Él tragó y la miró con expresión velada antes de decir finalmente:

–No, he decidido utilizar tus conocimientos de otra manera.

Esme sintió un escalofrío.

–¿Cómo?

–Como mi contacto personal con la organización

Esme evitó concentrarse en la noción de «personal».

–Yo... ¿Qué quieres decir?

–Durante las próximas semanas voy a recorrer las zonas más remotas de Ja'ahr. *Contacto Global* está haciendo un registro de las comunidades más necesitadas aquí, en la ciudad de Ja'ahr. Mientras tanto, tú vendrás conmigo para evaluar las necesidades de mi gente. Tus recomendaciones permitirán que *Contacto* cree las infraestructuras necesarias.

Como oferta de trabajo, era muy tentadora, y un gran avance respecto a lo que hacía en Londres. Pero la idea de trabajar al lado de Zaid le produjo calor y frío alternativamente. Cuando las mariposas que sentía en el estómago se asentaron en un término medio, carraspeó.

–No sé si me la concederán por tanto tiempo como dure el juicio de mi padre, pero pediré una extensión de... –calló a media frase al ver el ceño de Zaid.

–Esto no es negociable, Esmeralda. Es lo que exijo como respuesta a tu «te daré lo que me pidas» de la semana pasada. ¿O era una promesa en falso?

Con la boca seca, Esme contestó:

–Claro que no, pero aun así, tengo que pedir...

–Tu jefe ha accedido a trasferir tus servicios aquí por tanto tiempo como yo los requiera –concluyó él en tono autoritario.

Esme se quedó paralizada.

–¿Qué? ¿Cómo...? ¡No tenías derecho a hacer eso!

–¿Por qué no? –preguntó Zaid con sorna.

–Porque... porque...

–¿Querías hacerlo cuando te diera la gana? ¿No te dije que te explicaría los detalles cuando correspondiera?

–Eran detalles sobre lo que querías de mí, no sobre cómo ibas a organizarme la vida.

–No podía perder el tiempo con discusiones como esta. Además sabes que tengo experiencia en el mundo empresarial, y sabía que a tu jefe no le gustaría que pidieras una baja indefinida. Por otro lado, dudo que quisieras explicar por qué debías permanecer en Ja'ahr. ¿O le has contado lo de tu padre? –preguntó Zaid sarcástico.

Esme sintió un nudo en el estómago.

–No... No se lo habrás dicho, ¿verdad?

–No, después de todo, la llamada no era de naturaleza personal.

–¿Y ha accedido sin más?

–Sí, Esmeralda. Aunque como recibir una llamada de un sultán no es lo más habitual, ha sido especialmente amable conmigo. Por otro lado, añadir mi reino a los países que atiende la organización solo puede revertir en su beneficio –con gesto severo, Zaid añadió–: Así que ¿estamos de acuerdo en que te quedarás aquí tanto tiempo como te necesite?

Esme se sentía acorralada, y no solo por servir como asesora para Zaid. Había algo en la intensidad de la mirada con la que él la observaba que le contraía las entrañas; una intensidad contra la que no podía luchar porque no podía definirla. Además, dado lo que había hecho por su padre y dado lo que quería hacer por su pueblo, solo podía darle una respuesta.

–Sí, me quedaré.

Antes de que respondiera, Zaid había preparado una docena de refutaciones a las excusas que Esme pudiera poner. La batalla que había lidiado había sido perceptible en su rostro, y Zaid necesitó unos segundos para llegar a asimilar que había aceptado.

El alivio y la felicidad que sintió lo tomaron por sorpresa, especialmente porque ya había cerrado mentalmente la posibilidad de que hubiera algo sexual entre ellos.

No era tan arrogante como para creer que pudiera hacerle cambiar de opinión a su antojo. Esmeralda Scott era una mujer deseable, y su breve escarceo había despertado en él un deseo que todavía estaba intentando dominar. También había sido consciente de la disimulada desilusión que Esme había experimentado cuando él había aceptado sin protestar su afirmación de que no había química entre ellos y que el beso había sido un simple error.

Pero no era bueno mezclar el trabajo con el placer. Y ya había demasiada gente cuestionándose por qué había actuado como lo había hecho por su padre.

Así que tendría que buscarse una alternativa más discreta para saciar su libido, aun cuando solo pensar en ello incrementara su irritación.

–Muy bien –dijo en un tono más cortante de lo necesario. La tensión que se reflejó en el rostro de Esme lo ratificó, pero Zaid estaba perdiendo la paciencia–. Fawzi te proporcionará el itinerario mañana por la mañana.

Esme se quedó mirándolo antes de bajar la mirada.

–Muy bien... Buenas noches.

Zaid se puso en pie y le separó la silla. Al notar que se sorprendía, preguntó:

–¿Te molesta que tenga un gesto de caballerosidad?

Esme sacudió la cabeza.

–En absoluto, solo me ha tomado por sorpresa.

Zaid esbozó una sonrisa.

–Mi abuela, descanse en paz, se revolvería en la tumba si supiera que había perdidos los modales.

Esme también sonrió levemente, pero bastó para que sus hermosas facciones se volvieran encantadoras, y Zaid asió con fuerza el respaldo de la silla.

–¿Estabais muy unidos?

Zaid se dijo que solo se permitiría aspirar una vez la fragancia a cereza y jazmín de Esme mientras iban juntos hacia la puerta. Pero su perfume lo envolvió y no pudo evitar preguntarse cuánto era el olor a jabón y dónde empezaba el olor a mujer. Tuvo que hacer un esfuerzo sobrehumano para concentrarse en la pregunta que le había hecho.

–A pesar de vivir en el exilio, me crio como si fuera el heredero. Además de los estudios normales, tuve que aprender las costumbres y las leyes de Ja'ahr, así como las artes de la diplomacia y de la buena educación. Era muy severa, pero también cariñosa y maternal.

–Me alegro –musitó Esme.

Algo en su tono de voz hizo que Zaid la mirara, y que al hacerlo atisbara una sombra de tristeza. Al ver que ella componía al instante una máscara de rígido control, tuvo el absurdo impulso de querer atravesarla y dejar expuesta a la verdadera Esmeralda Scott. Quizá por eso hizo la siguiente pregunta:

–¿Cuándo perdiste a tu madre?

–¿Cómo sabes que la perdí? –preguntó Esme, tensándose.

Zaid la guio hacia un corredor en el que sabía que estarían tranquilos aquella hora.

—Tu padre ha dicho que eras su única familia.

—Ah, sí —Esme pareció aliviada, y fingió interesarse en una escultura antes de añadir—: Mi madre murió cuando yo tenía catorce años. Pero un año antes se había divorciado de mi padre y se había mudado a Australia.

—¿Y tu padre y tú os quedasteis solos? —Zaid frunció el ceño.

—Sí —dijo ella débilmente.

—Supondrás que he investigado a tu padre. Ha actuado en... numerosos países. ¿Lo acompañabas?

Esme rio en tensión.

—¿Me estás interrogando? ¿Creía que ya no eras el fiscal del caso?

—¿Te extraña que quiera conocer mejor a la mujer con la que voy a trabajar?

Zaid fue consciente de estar siendo injusto y de que debía dejar el tema, pero verla mordisquearse el labio mientras pensaba cómo responder volvió a provocar en Zaid el deseo de destruir sus defensas. Quería conocerla, averiguar qué la hacía fuerte y osada, frágil y vulnerable.

—Durante el curso estaba interna en un colegio —dijo ella finalmente—. Y pasaba las vacaciones con él recorriendo el mundo. Era una gran aventura.

La visión idílica que pretendía proyectar de su infancia hizo enfadar a Zaid.

—Si era tan maravilloso, ¿por qué has evitado verlo estos ocho años?

Vio la sorpresa que le causó su pregunta. Esme entornó los ojos.

—Esto parece cada vez más un interrogatorio.

—¿Quizá te avergonzabas de tu padre y preferiste distanciarte de él? —la presionó Zaid.

—O puede que hubiera llegado el momento de que nuestras vidas se separaran. Quise tener una carrera y decidí volver a Inglaterra.

Estaba mintiendo o al menos no decía toda la verdad y Zaid, que había aprendido a no sorprenderse por nada, se preguntó por qué sentía tal desilusión ante la reacción de Esme. Aceleró el paso en dirección a sus aposentos.

—Zaid... ¿Alteza?

Él se volvió, molesto por que volviera a utilizar su título para dirigirse a él.

—¿Qué pasa?

En la tenue luz del corredor pudo ver su gesto de inquietud a pesar de que le sostuvo la mirada.

—Creo... creo que sé cómo llegar a mi suite.

Zaid miró a su alrededor y al ver que quedaban algunos corredores dijo en tono imperioso:

—Te acompañaré hasta la puerta.

Esme caminó a su lado el resto del recorrido. Cuando llegaron, Zaid abrió la puerta.

Aisha y Nashwa se giraron al oírlos entrar e hicieron una reverencia al ver a Zaid. Este respondió con unas palabras y las dos mujeres se marcharon. Cuando las puertas se cerraron, Esme lo miró.

—Sé que en Ja'ahr las mujeres no necesitan estar acompañadas en todo momento, pero ¿no deberías haberme consultado si me preocupa despertar rumores cuando se sepa que el sultán entra en mi dormitorio a esta hora de la noche?

—Volverán enseguida. Si hubiera tenido otras intenciones las habría despedido para el resto de la noche —dijo Zaid, sintiendo la sangre acudir a su entrepierna al imaginar ese posible escenario.

Esme se ruborizó y él tuvo la tentación de acariciarle la mejilla y volver a sentir su delicado tacto.

–Entonces ¿cuáles son tus intenciones si no pretendes despertar habladurías en mi contra?

–En Ja'ahr no se castiga a las mujeres por desear a un hombre, ni se asume que deba estar acompañada a no ser que lo solicite. Los derechos de las mujeres se respetan, y son libres de ejercer su libertad desde la mayoría de edad.

–Me alegro de saberlo.

–Así que nadie te censurará por que me entretengas en tu suite.

Esme tomó aire.

–No te estoy entreteniendo. Y podías haberte despedido en la puerta.

Su tono airado aceleró la sangre de Zaid.

–Puede que se deba a que te encuentro cautivadora, a que desearía marcarte como mía a pesar de...

–¿A pesar de qué? –preguntó ella con la respiración alterada.

–A pesar de que mi instinto me dice que debo alejarme de ti.

–Harías mejor siguiendo tu instinto y preocupándote en los rumores.

–Lo que hace el sultán y con quién lo hace siempre despierta interés. ¿Te molestaría ser centro de atención?

Esme se pasó la lengua por los labios y Zaid tuvo que hacer un esfuerzo sobrehumano para no besarla en aquel mismo instante.

–¿Por qué me dices estas cosas?

La lascivia y la impaciencia se apoderaron de Zaid.

–¿De verdad necesitas preguntarlo cuando apenas puedes respirar por el deseo que nos consume?

Que Esme ahogara una gemido fue un motivo de satisfacción para el depredador que había en él.

–Zaid, creía que habíamos acordado que no...

–Dime que no me deseas y me marcharé –la cortó él.

–Yo... –Esme sacudió la cabeza–. Es una mala idea.

Zaid posó las manos en sus hombros y sintió su piel a través de la fina tela de su vestido.

–Eso no es lo que te he preguntado. Admite que me deseas, Esmeralda ¿O crees que es más fácil mentir?

Una sombra de dolor cruzó la mirada de ella antes de que con labios temblorosos dijera:

–Yo no miento.

Zaid ignoró su expresión y su respuesta le hizo recordar que, aunque no mintiera, tampoco decía toda la verdad.

–Si es así, contéstame.

Esme pareció vencida por un segundo. Luego alzó la barbilla y dijo:

–¡De acuerdo! Te deseo. Pero sigo pensando que...

Zaid atrapó su boca y ahogó sus palabras con un apasionado beso avivado por el deseo contenido. La estrechó contra sí, amoldando su cuerpo al de ella, pero no le bastó. Como si ella sintiera lo mismo, se abrazó a su cintura y sus labios de terciopelo se abrieron a él. Zaid la invadió con su lengua con un ansia que bordeó la brusquedad, pero le dio igual. La respuesta de Esme, los gemidos que escapaban de su garganta con cada encuentro de sus lenguas, desencadenó en él una embriagadora reacción que jamás había experimentado. Pero aunque el beso fuera espectacular, Zaid sabía que había más y anhelaba descubrirlo.

Por eso hundió los dedos en su cabello, le soltó las horquillas que le afianzaban el moño y dejó caer suelto su sedoso cabello. Deleitándose en su aroma femenino le acarició la nunca y la apretó contra sí, haciéndole sentir su erección en toda su magnificencia.

Esme extendió las manos sobre su espalda y se pegó

a él, gimiendo. Devorándose mutuamente, Zaid la fue empujando hacia atrás hasta que un sofá lo detuvo. Zaid se sentó y sin dejar de besarla sentó a Esme sobre su regazo. Manteniéndola atrapada, la saboreó hasta que sus gemidos reverberaron en la habitación.

Zaid era consciente de que estaba dejándose llevar y de que las sirvientas estaban esperando al otro lado de la puerta, pero aun así llevó una mano al seno de Esme. Ella se tensó y él rompió el beso para expresar lo que ya no podía callar:

—Eres como un frondoso oasis tras un largo exilio en el desierto, *jamila*.

Y volvió a besarla y a acariciar su glorioso seno, pasando el pulgar por su endurecido pezón. El leve sobresalto de Esme incrementó su excitación y Zaid no pudo resistirse a bajarle el cuello elástico del vestido. Continuó besándola hasta que otra tentación se hizo irresistible. Sus pezones endurecidos eran visibles bajo el encaje que los cubría. Con dedos temblorosos por la fuerza de su deseo Zaid apartó la tela y el gemido ahogado de Esme le hizo mirarla. Estaba agitada, acalorada, preciosa.

Sin apartar la mirada de sus ojos, Zaid inclinó la cabeza para tomar un pezón entre sus labios y vio sus preciosos ojos oscurecer de deseo, sus párpados aletear. Zaid le pasó la lengua y repitió el movimiento en el otro pezón. Solo alzó la cabeza cuando fue consciente de que el deseo que lo atravesaba amenazaba con volverse incontrolable.

—Eres pura ambrosía, *habiba* —masculló con voz ronca.

Como respuesta, Esme lo sujetó por la nuca y le hizo inclinar de nuevo al cabeza. Con una risa ahogada, el volvió a deleitarse en la exploración de su cuerpo. Estaba tan perdido en él que tardó en darse cuenta de que Esme lo llamaba y lo empujaba por los hombros.

–¡Zaid, para!

–Todavía no –masculló él sin apartar las manos de sus senos.

–¡Por favor!

La angustiada súplica lo hizo reaccionar. Tomó aire y finalmente oyó que llamaban a la puerta. Maldiciendo en su lengua, la dejó ir de mala gana.

Esme se puso en pie y se estiró la ropa a la vez que Zaid le tomaba el rostro entre las manos mientras intentaba recuperar el dominio de sí mismo.

Con las mejillas encendidas y el cabello alborotado, Esme lanzó una mirada aterrada hacia la puerta.

–Tranquila. No entrarán hasta que les dé permiso –dijo entre dientes.

–Pues dáselo antes de que piensen que estamos... –Esme se ruborizó violentamente.

–¿Haciendo el amor? Acostúmbrate a decirlo, Esmeralda, porque va a suceder. La próxima vez no nos interrumpirán. Y cuando te tenga en mi lecho te poseeré plenamente.

El tembloroso suspiro de Esme atrajo la mirada de Zaid de nuevo a sus senos. Se inclinó a besarla con delicadeza antes de retroceder.

–Mañana partiremos temprano. Estate preparada.

Capítulo 9

Y CUANDO te tenga en mi lecho...»
Esme pasó las noches siguientes a la partida del palacio vacilando entre el deseo de ceder y las razones por las que debía impedirlo. Cada noche, sumergida en la belleza de su entorno, bien en las grandes tiendas beduinas o en una cabaña en un pueblo del desierto según avanzaban hacia las tierras petrolíferas del norte, se preguntaba si aquella sería la noche en la que Zaid daría el paso.

Antes de que se diera cuenta, habían transcurrido tres semanas.

Tres semanas durante las que Zaid la trató con la misma cortesía que a los demás miembros de la expedición. Dedicaban cada noche a la lectura de los informes que ella elaboraba sobre las necesidades de las comunidades que visitaban y le hacía preguntas puntuales mientras compartían una cena sencilla u opípara, dependiendo de quién fuera su anfitrión.

Cada noche Esme se retiraba a sus aposentos con Nashwa y Aisha, sus inseparables compañeras y valiosa fuente de información como intérpretes. Esme incluso se había acostumbrado a los dos guardaespaldas que la protegían en todo momento.

De no haber disfrutado enormemente con su nuevo papel, Esme estaba convencida de que se habría vuelto loca. Pero la felicidad que sentía al saber que estaba contribuyendo al bien común la ayudaba a conciliar el sueño a pesar de que su mente no pudiera dejar de pensar en Zaid.

Porque sabía que él no había perdido interés en ella. A menudo, alzaba la mirad mientras hablaba con la matriarca de una tribu o con un grupo de adolescentes y veía que la observaba intensamente. Entonces su deseo por ella era palpable aunque pronto apartara la mirada y retomara la conversación en la que estaba inmerso.

El turbador anhelo que le provocaban aquellas miradas la mantenían despierta durante horas mientras se debatía entre odiarlo por despertar en ella un deseo tan intenso, y reprenderse a sí misma por haber caído en su red.

Quizá por eso se sentía irritada al atardecer de su segundo día en Tujullah, que no era más que un asentamiento en el desierto más septentrional del país, aunque las tiendas eran permanentes y tan grandes que contenían varias habitaciones.

Como de costumbre, se le había asignado la tienda más alejada de Zaid. Acababan de despedirse después de la reunión diaria durante la que ella había dado respuestas cada vez más concisas y él la había observado con mirada penetrante antes de despedirla y mantener una tensa conversación con su secretario.

Normalmente, ella se habría quedado por el campamento, donde varios grupos de hombres tocaban instrumentos, o habría entablado una conversación sobre la situación del mundo. Pero aquella noche, decidió darse un prolongado baño en la intimidad de su tienda tras despedir a Aisha para el resto de la noche.

En ese instante se pasaba una esponja impregnada de agua de rosas por el brazo y observaba con expresión ausente las gotas de agua chispear reflejando la luz de docenas de velas. En cuatro días volverían a Ja'ahr para dos semanas, antes de iniciar otro viaje hacia el este. Zaid tenía asuntos de Estado pendientes y ella visitaría de nuevo a su padre, a pesar de que el encuentro previo, cuando había tomado un helicóptero para ir a verlo, había acabado en tensión por la insistencia de su padre en saber qué había entre ella y Zaid.

También aprovecharía para mantener reuniones con *Contacto Global* y comentar sus recomendaciones respecto a la comunidad.

Pero aquella noche no conseguía concentrarse más que en Zaid, o mejor, en si habría cambiado de opinión respecto a poseerla, y por qué sentía tal desilusión ante esa posibilidad. Esos pensamientos seguían perturbándola cuando salió del baño, una hora más tarde, y aunque estaba agotada, pensó que era demasiado temprano para irse a la cama.

Se cepilló el cabello lenta y prolongadamente y se puso una túnica lila con bordados de oro en los bordes, de una seda tan delicada que se deslizó sobre su cuerpo como un suspiro. Esme era consciente de estar enamorándose de muchas cosas de Ja'ahr, incluido el vestuario que, según le había hecho saber Zaid por medio de Nashwa, era parte de su paquete de bienvenida. Además, Esme sabía que esa ropa le había facilitado el contacto con la población local, proporcionándole una mayor seguridad en su nuevo puesto.

Se recogió el cabello en un moño bajo y se calzó una par de babuchas a juego con la túnica. Unos aros de oro que había comprado en un mercadillo y un poco de brillo en los labios completaron el conjunto.

Estaba poniéndose un pañuelo blanco en la cabeza cuando apareció Aisha.

Sorprendida, Esme se volvió y la joven hizo una reverencia.

—Disculpe la intromisión, pero Fawzi Suleiman desea verla.

–Ah... que pase.

Aisha desapareció y un instante después apareció Fawzi.

–Su Alteza requiere su presencia, señorita Scott. Si me acompaña... –hizo un amable gesto indicando el exterior.

Esme se enojó consigo misma por el vuelco que le dio el corazón al sentir una mezcla de excitación por ver a Zaid y de enfado, al asumir que querría volver a repasar su último informe.

Siguió a Fawzi hasta la gran tienda negra, aislada de las demás y que, al contrario que la suya, tenía una doble capa de cuero recio, separada medio metro de la inferior, con dos entradas.

Fawzi cruzó la de la derecha y Esme lo siguió. Bajo sus pies había unas exquisitas alfombras persas, entre las que dominaban los todos azules y dorados del sultanato. En el centro, mullidos cojines formaban círculo en torno al área para sentarse.

Iluminada por un candelabro de techo que colgaba del punto más alto de la tienda, numerosos faroles de delicada orfebrería pendían de diversos postes y emitían una tenue luz. En medio, había una pequeña mesa con un cuenco con fruta variada.

Esme observó todo aquello en unos segundos, antes de ver incorporarse a Zaid de uno de los divanes del suelo. Una vez más, se irritó consigo misma por sentir que se le cortaba el aliento. Tras inclinar la cabeza en señal de respeto, Fawzi los dejó solos.

–¿Querías verme? –preguntó Esme, apretando las piernas para evitar que le temblaran.

Zaid se aproximó. Llevaba una túnica granate, pantalones y toga. Su cabello negro brillaba como el azabache.

–Pareces... molesta –dijo él con lo que casi sonó a desdén.

Pero no engañó a Esme, que percibió en él una tensión contenida que le aceleró el pulso al instante.

—Será porque había pensado ir a dar un paseo justo cuando me has hecho venir —replicó.

Una sonrisa asomó a los labios de Zaid. Aquellos labios con los que Esme soñaba cada noche.

—¿No será que te sientes un poco desatendida?

—En absoluto. Estoy aquí para hacer mi trabajo, te he visto a diario, tengo a Nashwa y Aisha conmigo... Ah, y mis guardaespaldas —replicó Esme mordaz.

—Los guardaespaldas son por tu seguridad.

—A mí me parece un poco excesivo. ¿Todos los invitados tienes su propio personal?

Zaid abandonó su tono indolente.

—Antes tenían hasta cinco miembros, a los que, en lugar de pagárseles un salario, se les daba comida. Ahora, tus dos sirvientas ganan bastante como para alimentar y vestir a sus familias.

—Ah... No lo sabía —dijo Esme, avergonzada—. ¿Y los otros tres? ¿Están en el desempleo?

Zaid la guio hacia el centro. Esme, que durante aquellas semanas había aprendido a acomodarse en los divanes del suelo, se echó de costado en uno de ellos, incorporándose sobre dos almohadones. Cuando apenas unos segundos después vio que Zaid hacía lo mismo de frente a ella y quedándose a tan solo unos centímetros, una voz interior le ordenó que se moviera, pero la enmudeció el anhelo que se había incrementado durante aquellas tres largas semanas por experimentar de nuevo lo que había pasado en su suite.

—Se están formando para hacer otros trabajos —contestó Zaid cuando Esme ya había olvidado la pregunta.

Obligándose a centrarse, Esme preguntó:

—¿Y después?

—Gente tan excepcional como tú los asesorará para

que consigan el trabajo adecuado –dijo él con rotundidad.

Esme sintió un delicioso calor interior.

–¿Así que crees que estoy haciendo un buen trabajo?

Zaid sonrió burlón.

–¿Quieres que te halague, Esmeralda?

–Quiero entender por qué me acribillas a preguntas cada tarde como si no te parecieras satisfecho con mi trabajo.

–Puede que no quiera que te duermas en los laureles... –adoptando un tono más grave y sensual, añadió–: O puede que sea la manera de sobrellevar la situación.

Esme se quedó sin aliento.

–¿Qué situación? –preguntó con un hilo de voz.

–El hecho de que deseo tenerte en mi cama, debajo de mí, más de lo que quiero admitir –dijo él con voz cavernosa.

El calor que Esme sentía se transformó en una hoguera.

–¿Y por qué no has hecho nada... o dicho nada hasta ahora?

–Se supone que por cortesía. Y no quería distraerte de tu trabajo. Pensaba esperar a volver a palacio antes de hacerte mía.

–¿Pero...?

–Pero he decidido que hay un límite a lo altruista que puedo ser antes de que el deseo que siento por ti me vuelva loco –musitó él.

Y sin que Esme tuviera tiempo a reaccionar, se inclinó sobre ella le retiró el pañuelo y le soltó el cabello antes de abrazarla con su musculoso cuerpo y atrapar sus labios en un beso apasionado.

Esme había creído que nada podría superar su primer beso, que el deseo que había sentido no podía intensificarse. Pero a la vez que Zaid hundía los dedos en su cabello con una urgencia desesperada, la elevó a un nivel de excitación que arrancó un gemido de su garganta por el temor a no verlo satisfecho. Quizá Zaid lo percibió, porque renovó el vigor con el que su lengua buscó la de ella en una danza erótica que catapultó sus sentidos en un remolino de embriagadoras sensaciones.

Con su poderoso muslo, Zaid separó los de ella, acomodándose entre sus caderas como si tuviera derecho a ocupar ese lugar. Esme sabía que se lo había otorgado, que con el silencio que había mantenido aquellas tres semanas había aceptado que aquello iba a suceder.

Iba a entregar su virginidad a Zaid Al-Ameen.

Una sirena de alarma brotó en su interior, intentando atemperar el fuego que la consumía. Sabía que ser virgen a los veinticinco años era una rareza. Pero mientras que haber elegido no explorar su sexualidad había sido una decisión razonable para ella, pensó que quizá no lo era desde el punto de vista de los demás.

La posibilidad de desilusionarlo la asaltó, echando un cubo de agua fría sobre sus exaltados sentidos.

Los cálidos dedos de Zaid le acariciaron la mejilla, exigiendo su plena atención, que ella se apresuró a concederle. Y observando al viril hombre cuya mirada la devoraba, casi consiguió convencerse de que su inquietud era infundada. Un tembloroso suspiro escapó de su garganta cuando él inclinó la cabeza para besarle el mentón.

–Estoy intentando no sentir como un golpe a mi ego el haber perdido tu interés –le susurró él al oído.

Ella emitió una risa seca.

–Tu ego no debe preocuparse en absoluto por mí.

Él alzó la cabeza y le dirigió una mirada especulativa.

–Me deseas –dijo con arrogancia, deslizando su mano por el cuello de Esme hacia el escote de la túnica.

–Sí, te deseo –dijo ella con la respiración entrecortada.

Zaid exhaló bruscamente el aliento y sin dejar de acariciarla, dijo:

–Entonces dime qué es lo que te preocupa.

Esme se mordió el labio, vacilando.

–Esmeralda, ¿qué pasa? –insistió Zaid.

Ella se humedeció los labios.

–Estoy un poco...perdida. No había hecho esto nunca antes –balbuceó.

Zaid la contempló en silencio prolongadamente antes de ponerse en pie grácilmente. La consciencia de haberlo perdido la dejó tan atónita que tardó en darse cuenta de que Zaid le tendía una mano.

Ella la tomó y en cuanto se puso en pie, él la alzó en brazos.

–Zaid... –susurró Esme con los ojos desorbitados.

Sin mediar palabra, él la condujo por un corredor hasta la alcoba más masculina que Esme había visto en su vida.

El suelo estaba cubierto de pieles de animales. En las paredes colgaban telares artísticos y en el centro había un hornillo con una campana de filigrana que protegía las llamas.

Pero lo que captó su atención fue la cama. Se trataba de una estructura baja de madera tallada, con sábanas de satén blanco, y numerosos y coloridos almohadones. Todo resultaba lujoso y sensual.

Y era el escenario adecuado para aquellos experimentados en el arte del amor, y no para alguien tan inocente como ella.

El sentirse fuera de lugar volvió a angustiarla. Suspiró y Zaid la dejó en el suelo. Luego la tomó por la nuca y le inclinó la cabeza para que lo mirara.

–También es la primera vez que yo voy a mezclar el trabajo con el placer –le confesó.

Esme tardó en comprender.

–Yo... ¿Qué?

–¿No es eso lo que te preocupa, que comprometamos nuestra relación profesional haciéndola personal? –preguntó él, al tiempo que la atraía hasta acoplar sus caderas a las de ella y besarle los labios–. No tenemos alternativa, *habiba* –concluyó con una solemne convicción.

Esme abrió la boca, pero no consiguió articular palabra para sacarlo de su error. Y antes de que pudiera hacerlo, él volvió a besarla con una carga sexual que reavivó la hoguera que ardía en su interior. Alzando los brazos, Esme se abrazó a su cuello para saciarse de aquella droga.

Se lo diría. Tenía que decírselo. Pero después de aquel beso.

Se besaron hasta que les faltó el aliento, hasta que no bastó con acariciarse por encima de la ropa. Solo cuando Zaid musitó algo contra sus labios en árabe Esme oyó una voz interior advertirle de que se le acababa el tiempo, y ya las manos de Zaid le estaban levantando la túnica.

–Zaid... –consiguió decir.

–Necesito verte, acariciarte, saborearte –musitó él.

Esme presionó los dedos contra su musculoso pecho.

–Zaid... Tengo que decirte...

–Shh, *jamila*, entrégate al placer.

Antes de que ella pudiera hablar, Zaid ya le quitaba la túnica por la cabeza. El cabello le cayó sobe el rostro y Zaid se lo retiró para verla mejor. Luego se quitó su túnica y la observó con una mirada que contenía la promesa de un placer inolvidable, incandescente.

–Sabía que eras hermosa, pero tu belleza supera mi imaginación, *habiba* –dijo, posando las manos sobre sus senos tapados por el sujetador de encaje.

–Zaid...

–Quieta –ordenó él mientras deslizaba las manos lentamente por su cuerpo.

Entonces le soltó el sujetador aunque no se lo quitó del todo. Esme nunca se había sentido tan deseada, nunca había sido tan consciente de su propio cuerpo. Contuvo el aliento cuando él deslizó los dedos lentamente por su columna y sintió una cálida humedad en su núcleo femenino. Zaid se detuvo justo encima de sus nalgas a la vez que le besaba un hombro. Luego el otro. Un segundo más tarde, le bajaba las bragas y las dejaba caer al suelo.

«Díselo antes de que sea demasiado tarde».

En ese momento el sujetador acompañó a las bragas, dejándola completamente desnuda bajo la ávida mirada de Zaid, que se detuvo en el bosque oscuro entre sus piernas.

–Eres exquisita, Esmeralda –musitó.

Esme estuvo a punto de darse por vencida al ver la voracidad de su mirada. Pero se había prometido no mentir ni engañar.

–Me has entendido mal cuando he dicho que no había hecho esto antes.

Zaid tuvo que hacer un esfuerzo monumental para apartar la mirada de los endurecidos pezones de Esme. Con la mirada velada, dijo:

–Pues dímelo, *habiba*, antes de que pierda la paciencia –musitó con voz aterciopelada.

–Soy... soy virgen.

Zaid se quedó completamente inmóvil. Tras unos segundos dijo:

–Eso es imposible. Tienes veinticinco años.

–Te aseguro que nunca me he acostado con ningún hombre.

La afirmación provocó un cambio en Zaid, una emoción absolutamente primaria y posesiva que Esme percibió en su mirada. Pero también intuyó dudas y suspicacias.

Esme se adelantó a contestarlas:

–He elegido no explorar ese aspecto de la vida.

Zaid asintió, pero siguió observándola especulativamente.

–¿Y has decidido entregarme un regalo tan precioso porque...?

Esme temió que pensara que se debía a su poder y posición.

–No por quién eres. Si fuera así de calculadora no habría esperado –se apresuró a decir–. Pero... Te deseo más de lo que deseo conservar mi inocencia. Te lo he dicho porque... Supongo que mi falta de experiencia me hace menos... deseable –concluyó, sonrojándose.

Zaid resopló y la atrajo hacia sí.

–¿De verdad piensas eso? –preguntó, estrechándola con fuerza.

Pegada a él, desnuda mientras Zaid permanecía vestido, Esme sintió súbitamente una espantosa vergüenza. Retrocedió y se cubrió con los brazos.

Zaid le tomó las manos y dijo agitadamente:

–No te ocultes de mí, *habiba*. Quiero memorizar cada milímetro del cuerpo que voy a hacer mío y solo mío.

Esme lo miró a los ojos y vio que ardían como dos ascuas.

–Yo... –nunca supo qué iba a decir porque se quedó muda cuando Zaid se quitó la túnica. Sin vello, el contorno de sus abdominales y su piel de bronce eran perfectos. A Esme se le secó la boca al ver que se quitaba los pantalones. Zaid era el espécimen masculino más espectacular que había visto en su vida. Observó sus fuertes muslos y su orgullosa masculinidad, erecta y poderosa y la idea de todo aquel poder dirigido hacia ella, dentro de ella, hizo que la cabeza le diera vueltas de puro deseo.

Como si le leyera el pensamiento, Zaid la atrajo hacia sí.

—Déjate llevar por el deseo, Esmeralda. Tócame —dijo con voz ronca.

Esme obedeció y ahogó una exclamación ante el gozo que sintió al tocar con sus dedos la suave y cálida capa de piel que se deslizaba sobre el músculo de hierro. Luego recorrió su torso con las yemas de los dedos y le rozó los pezones con las uñas. Al ver que Zaid contenía el aliento con un silbido, se detuvo. Pero entonces él la tomó por la nuca y atrapó sus labios con un beso desesperado que demostraba hasta qué punto estaba encontrando difícil contenerse.

Igual de bruscamente que lo empezó, terminó el beso y la tomó en brazos

—Tenemos que pasar a la cama, querida. O voy a poseerte aquí mismo.

Capítulo 10

EL ROCE de las sábanas frescas en la piel hizo que Esme sintiera un delicioso escalofrío, que se convirtió en un cálido estremecimiento cuando el cuerpo caliente y viril de Zaid se acomodó sobre ella. En lugar de seguir besándola, fue trazando una línea de besos por su frente, sus mejillas, su nariz, antes de bajar hacia la base de su garganta y el pulso que allí palpitaba. Todo ello mientras susurraba con voz grave líricas palabras en su lengua. Aunque Esme no las entendiera, su significado le recorría la sangre, y le producían una emoción que le oprimía el pecho e iba más allá de la magia física. Una emoción que no pudo analizar porque los labios de Zaid estaban acabando con toda posibilidad de pensamiento racional al ir depositando besos en el valle entre sus senos antes de elevarse hacia las copas para mordisquearle el pezón. Como en la anterior ocasión, la sensación superó lo exquisito, y Esme clavó los dedos en el cabello de Zaid.

Animado por su respuesta, Zaid repitió la caricia, dedicando atención a su otro pezón. A medida que avanzaba su exploración, Esme se sumergía en un placer que le nublaba el entendimiento. Hasta el punto que tardó en darse cuenta de cuál era su siguiente destino.

El aliento se le congeló al notar que le tomaba el muslo con la mano y le separaba las piernas. En ninguna de sus fantasías sexuales con Zaid había pensado en el sexo oral.

Un calor ardiente le recorrió la piel cuando Zaid entreabrió la parte más íntima de su cuerpo para exponerla a sus ávidos ojos. La mano del muslo hizo entonces un agónico recorrido hasta su núcleo. Con dedos firmes, lo entreabrió y por un instante la miró a los ojos antes de volver su atención a su centro.

–Eres preciosa, Esmeralda –dijo con la voz entrecortada.

Y sus palabras tuvieron el efecto de un terremoto en ella.

Las últimas briznas de raciocinio se evaporaron, dejándola con la convicción de que, aunque cambiara de idea por la mañana, en aquel instante estaba haciendo lo correcto. Como si le leyera el pensamiento, Zaid la miró fija y prolongadamente antes de agachar la cabeza y saborearla en la más primaria de las maneras.

Liberada de la duda, Esme se entregó al placer que le recorría las venas. Las sábanas de satén se deslizaban bajo ella al tiempo que, instintivamente, hacía rodar sus caderas contra la caricia de Zaid. Él hizo un murmullo gutural de aprobación. Ella se movió de nuevo, acudiendo al encuentro de los expertos latigueos de su lengua contra el núcleo inflamado, epicentro de su placer. Esme vio estallar fuegos artificiales en sus párpados y su respiración se hizo caótica al tiempo que una indescriptible sensación se apoderaba de ella. Se intensificó y aceleró, catapultándola con cada caricia de Zaid. Sus dedos se asieron a las sábanas de satén cuando él le abrió más las piernas y profundizó el íntimo beso.

La gigantesca acumulación de placer estalló sin previo aviso, arrancando un sorprendido grito de los pulmones de Esme al sentirse lanzada a una estratosfera de puro e incandescente éxtasis. El placer reverberó por el cuerpo de Esme, apoderándose de él y sacudiéndolo hasta que finalmente la liberó de sus garras y, aleteando los párpados, abrió los ojos... Para encontrarse con el hombre responsable del aquel increíble clímax.

Zaid tenía una mano en su cadera y la otra en su cabello, y la tensión de sus facciones permitía intuir la intensidad de su excitación. La necesidad de devolverle una fracción de lo que él le había dado hizo que Esme levantara la mano para acariciarle la mejilla y alzara la cabeza para besarlo.

Un gruñido animal escapó de la garganta de Zaid al tiempo que se colocaba un preservativo y, echándose de nuevo sobre ella, volvía a besarla. Con el muslo separó sus piernas y le hizo sentir su miembro erecto. Esme bajó la mirada hacia donde sus cuerpos se unían y se le paró el corazón al ver sus impresionantes dimensiones.

Zaid le tiró suavemente del cabello para que mirara hacia arriba.

–Tranquila, *habiba*. El dolor será pasajero... O eso me han dicho. Y luego prometo proporcionarte un goce indescriptible.

Sus palabras la apaciguaron, como lo hizo, sorprendentemente, la confesión indirecta de que era su primera virgen. Por alguna extraña razón, eso intensificó la presión de aquella indefinible emoción que Esme sentía en el pecho. Pero no pudo pensar en ello porque Zaid ya volvía a besarla, en aquella ocasión con delicadeza.

Bajó de nuevo una mano a su muslo.

–Esmeralda –susurró, separándole las piernas.

Esme lo miró a los ojos y el deseo que vio en ellos la hizo arder tanto como sentir que la corona de su pene le tocaba el núcleo. Una excitación ciega teñida de aprensión se apoderó de ella.

–Abrázate a mí –ordenó él.

Ella obedeció.

Entonces, con un gemido gutural, Zaid se adentró en ella.

Una aguda punzada de dolor la atravesó, arrancándole un grito. Zaid lo atrapó con sus labios, devorando el sonido como si le perteneciera. Y así era. El dolor no fue tan pasajero como Zaid le había dicho, y se clavó en ella como si quisiera hacerle recordar aquel momento, para que quedara impresa en su mente la maravillosa experiencia de compartir su cuerpo con Zaid Al-Ameen.

Tras unos segundos, Zaid alzó la cabeza para mirarla, retroceder, y volver a sumergirse en ella.

El dolor remitió, se disolvió y dio paso al placer. Un placer más potente que el que acababa de sentir. Al tercer embate, Zaid la penetró profundamente. Luego fue acelerando poco a poco; con la mano izquierda la sujetó por la cadera, afianzándola, mientras cumplía la promesa de hacerla plenamente suya. Y mientras tanto, mantenía sus ojos en los de ella, absorbiendo cada partícula de su goce, fusionándolo con el suyo.

Esme puso los ojos en blanco y le clavó los dedos en la espalda. El gemido que brotó de su garganta fue de un asombro y una dicha que no había creído posibles.

—¡Zaid! —gritó.

—¡Déjate llevar! ¡Déjate ir! —susurró él.

—¡Oh... Dios!

Esme nunca había creído que entregarse pudiera resultar tan liberador. Y sintió que se elevaba aún más alto que antes, lo que no le impidió oír a Zaid susurrar.

—*Habiba*.

Cariño, querida. Esme oía a menudo en Ja'ahr aquellas expresiones, pero procediendo de Zaid tenían el efecto de cubrirla de piedras preciosas.

Sintió lágrimas en los ojos y finalmente, se dejó ir completamente.

Zaid no podía apartar la mirada de aquella preciosa mujer que se retorcía de placer bajo él. Todo en ella lo cautivaba. Pero nada lo había preparado para aquel instante. Para la intensidad a la que se elevó su propia excitación al dedicar todo su esfuerzo a hacer gozar a Esme.

Habría querido que no terminara nunca aunque supiera que todo llegaba a su fin. Necesariamente. Y no comprendía la parte de sí mismo que ya lamentaba profundamente esa pérdida futura. Ni quería pensar en ello. Ya lidiaría con ese problema cuando amaneciera.

Por el momento...

Esme arqueó la espalda con una sacudida de placer y sus senos se alzaron hacia su ávida boca. Sabía a ambrosía. Su cuerpo era un regalo exquisito del que quería disfrutar tanto tiempo como fuera posible.

En cuanto a que le hubiera entregado su inocencia... La primitiva dicha que le había recorrido la sangre al oír la confesión de Esme no había hecho sino intensificarse en el momento de penetrarla.

Ella emitió un nuevo gemido al tiempo que le clavaba las uñas en la espalda al alcanzar de nuevo el clímax. Zaid aguantó cuanto pudo. Hasta que, sintiendo cómo sus músculos internos lo succionaban, sucumbió al sublime éxtasis al que lo arrastró

El gemido que brotó de su garganta fue tan primario como el propio acto sexual. Zaid nunca había alcanzado un clímax tan eléctrico, tan completo.

Atrajo a Esme hacia sí, exhalando con satisfacción cuando ella apoyó la mano en su pecho; le retiró el cabello de la cara y le besó la frente, y vio dibujarse una sonrisa poscoital en su precioso rostro a la vez que se le entornaban los ojos.

A su pesar, la dejó dormir porque necesitaba recuperarse de su primera experiencia sexual. Y también porque necesitaba tiempo para reflexionar sobre las preguntas que se hacía, aunque una de ellas ya había obtenido respuesta,

Si Esme se había aferrado a su virginidad con la esperanza de obtener el máximo beneficio de hacer un regalo tan magnífico, habría permanecido en el ambiente de lujo en el que se movía su padre, donde había hombres acaudalados dispuestos a pagar por semejante adquisición. Pero en lugar de eso, había elegido ser una trabajadora social y vivir modestamente.

Estaba seguro de que había pasado algo entre Esme y su padre que justificaba su distanciamiento. Pero no dudaba de la honestidad de ella de la que había sido testigo durante las semanas anteriores en la forma en que intentaba ayudar a la gente. Según Fawzi, Esmeralda Scott se había ganado el respeto y la admiración de toda la comunidad.

Pero su padre seguía representando un problema.

Zaid apretó los dientes. Si la única debilidad de Esme era Jeffrey Scott, cuanto antes se dirimiera la suerte de este, antes podría concentrarse en otros asuntos.

Como su país. O él mismo.

La estrechó con más fuerza. No había razón alguna por la que no pudieran seguir disfrutando el uno del otro si así lo querían ambos.

Dándose por satisfecho con esa idea, la besó de nuevo en la frente y dejó que el sueño finalmente lo venciera.

Aunque la tienda seguía en penumbra, Esme supo que empezaba a amanecer. El canto de un gallo seguido de movimiento en el campamento, lo confirmó.

Esme mantuvo los ojos cerrados recordando la noche. Había entregado su virginidad a Zaid. La experiencia había sido maravillosa, tanto durante como cuando, a lo largo de la noche, había despertado y se había encontrado cobijada en sus fuertes brazos, que la asían como si no quisieran dejarla ir. Cada vez, había vuelto a quedarse dormida con el corazón henchido por una emoción que le había dado terror etiquetar.

Esa emoción y la intuición de que estaba sola en la cama eran la razón de que no quisiera abrir los ojos. Porque cuando lo hiciera, tendría que enfrentarse al hecho de que su vida había cambiado para siempre.

Cuando finalmente se volvió y comprobó que Zaid nos estaba, se incorporó con una inesperada sensación de vértigo. Había sabido que solo sucedería una vez y cuanto antes lo asimilara antes podría asumir de nuevo su papel en la vida de Zaid. Por más que deseara otra cosa...

Se retiró el cabello del rostro con determinación y empezó a buscar su ropa con la mirada cuando se abrió una apertura lateral que no había observado antes y apareció el hombre que ocupaba sus pensamientos.

Zaid llevaba el torso descubierto y el cabello alborotado; y unos pantalones holgados que le colgaban de las caderas. Esme tragó sin saber dónde mirar al pensar cómo aquel magnífico cuerpo se había consagrado a proporcionarle placer.

Él caminó lentamente hacia ella, recorriéndola con una mirada sensual.

–Buenos días, Esmeralda –saludó. Y se detuvo junto a la cama.

–Ho-hola –balbuceó Esme tímidamente.

Zaid hizo ademán de subir a la cama, pero se detuvo mirando un punto, Esme siguió su mirada y se ruborizó al ver las delatadoras manchas que marcaban la sábana.

Automáticamente, fue a taparlas, pero él, sujetándole la muñeca, dijo:

–No.

Y aunque eso fue todo, por como la miró, Esme pensó que, de haber vivido varios siglos atrás, Zaid se habría golpeado el pecho como manifestación de su arrogante triunfo: el de haber sido su primer hombre.

Y no pudo evitar sonreír.

–¿Algo te hace gracia, *habiba*?

Esme se ruborizó.

–Deberías verte la cara. Pareces un depredador que hubiera combatido con varios rivales antes de alzarse con una presa –dijo con una avergonzada sonrisa.

Sin mediar palabra, Zaid se arrodilló sobre la cama y la besó prolongada y apasionadamente. Para cuando alzó la cabeza, Esme había alcanzado ya un estado de flotación. Él la miró con ojos centelleantes y dijo:

–Si parece eso es porque he ganado un premio increíble. No lo dudes. Un premio que pretendo conservar.

Esme estaba intentando interpretar sus palabras cuando él se levantó y la tomó en brazos.

–¿Dónde vamos? –preguntó ella, abrazándose a su cuello.

–Ya lo verás –dijo él, y salió por donde había entrado.

Al otro lado, una estructura amurallada de cuero como la que se usaba para montar refugios en el desierto rodeaba un oasis con una poza de agua de manantial rodeada de flores exóticas.

–¡Qué preciosidad! –exclamó Esme.

–Me alegro de que te guste –musitó Zaid.

Y, dejándola en el suelo, posó las manos en sus caderas y la besó. Para cuando separaron sus bocas, jadeaban y cada milímetro de sus cuerpos buscaba el máximo contacto. Zaid llevó las manos al trasero de Esme y la apretó contra sí para hacerle sentir su poderosa erección. Luego la separó levemente y dijo:

—Quítame los pantalones, *habiba*.

Estremeciéndose, Esme deslizó las manos lentamente por su pecho, deteniéndose momentáneamente en sus pezones, dudando si tomarlos en su boca, tal y como deseaba hacer.

Alzó la mirada y vio que él la observaba en suspenso, conteniendo el aliento. Su expresión le dio seguridad en sí misma, inclinó la cabeza y le mordisqueó los pezones.

El silbido ahogado que escapó de los labios de Zaid hizo que se detuviera. Iba a alzar la cabeza cuando él se la sujetó para que continuara, y percibir el estremecimiento que lo recorría le hizo sentirse poderosa.

Zaid se entregó a la exploración de sus dedos y de sus labios, y su respiración se fue agitando a medida que bajaba en su recorrido. Cuando alcanzó el elástico de sus pantalones, Esme respiró profundamente y deslizó la mano por debajo de la tela.

Tomar el acero envuelto en terciopelo le elevó la temperatura. Era majestuoso, potente, embriagador. Esme estaba tan decidida a familiarizarse con aquella parte del cuerpo de Zaid que no se dio cuenta de que emitía un gemido agónico hasta que él le sujetó la mano y se la retiró.

—Qué pronto te has dado cuenta de la magnitud de tu poder, *jamila* —dijo él con voz ronca. Y tomándole la mano, le besó la palma antes de devolverla a su cintura.

Recordando lo que le había pedido, Esme le bajó los pantalones y lo observó en toda su magnificencia.

Era tan hermoso que la dejaba sin aliento.

La magia del momento se prolongó. Zaid la guio hacia los peldaños de roca que bajaban hacia la poza.

Fresca y sedosa, el agua les llegaba al pecho. Zaid enredó sus dedos en el cabello de Esme y la besó. Luego tomó una esponja que había en el borde y se la pasó por el cuerpo con lentitud y delicadeza. Esme leyó en sus ojos sus intenciones aun antes de que él la empujara suavemente hacia el borde.

–Solo quería que te bañaras por si estabas dolorida, pero llevo horas deseando hacer esto, Esmeralda –musitó él, sentándola a horcajadas sobre sí tras sentarse en el peldaño más bajo.

–No estoy dolorida –consiguió articular ella.

Zaid salpicó de besos sus labios y su garganta antes de tomar sus pezones ávidamente. Un deseo profundo e incontrolable despertó entre las piernas de Esme, que él se había colocado a ambos lados de sus caderas. Con el corazón desbocado, Esme se asió a sus hombros, meciéndose en una búsqueda ciega del placer que solo él podía proporcionarle. Su núcleo femenino encontró la cabeza de su pene.

Zaid apartó bruscamente la boca de sus pezones, y con una expresión salvaje, sujetó su miembro con una mano mientras que con la otra asía a Esme y elevaba las caderas para adentrarse en ella de un solo movimiento.

La exclamación ahogada de ella se mezcló con su gemido. Sus labios se fusionaron un segundo antes de separarse para mirarse, como si su unión necesitara de la conexión de sus miradas. Conteniendo el aliento, en silencio, Zaid se retiró antes de penetrarla aún más profundamente.

Esme entreabrió los labios en otro gemido mudo. En el tercer embate, acudió al encuentro de él, ganándose un gemido de aprobación que exacerbó el deseo que la consumía.

Sin apartar sus ojos de los de ella, Zaid asintió.

–Sí, así...

Esme giró las caderas, elevándose antes de volver a descender y tomarlo en su interior. La sensaciones de control y poder se combinaron en una embriagadora pócima adictiva que quiso seguir consumiendo.

Con el agua salpicando en torno a ellos, Zaid apoyó los brazos en el borde y echó la cabeza hacía atrás mientras la miraba con ojos entornados, animándola en silencio a tomar las riendas y lanzarlos a un glorioso abismo.

Esme aceleró sus movimientos. Las facciones de Zaid se tensaron, su respiración se hizo más errática.

–Sí –gimió con voz ronca. Tómame, *habiba*. Tómame como yo te he tomado a ti.

Esme no necesitó que lo repitiera, y asiéndose a su cuello se dejó llevar por el canto de sirena que musitaba en su interior.

Pronto el crescendo alcanzó proporciones monumentales y los gemidos de Zaid se hicieron más guturales. Sintiéndose aún más audaz, Esme lo besó y luego dejó que él tomara el control. Conectados a todos los niveles posibles, estallaron al unísono, absorbiendo mutuamente los gemidos que arrancó de sus bocas el nirvana al que llegaron.

Seguían unidos cuando Zaid la rodeó con sus brazos y salió de la poza con ella, ambos empapados, hacia la tienda.

Manteniendo la conexión, la echó sobre la cama. Entonces, súbitamente, se quedó inmóvil y, palideciendo, la soltó y se puso en pie de un salto mientras dejaba escapar un sonoro juramento.

Capítulo 11

ERA EVIDENTE que pasaba algo de una extrema gravedad.

—¿Z-Zaid?

Recuperándose todavía de la nebulosa del devastador clímax, la voz de Esme brotó temblorosa mientras observaba a Zaid ir de un lado a otro de la tienda.

—No puedo creerlo... —Zaid se paró en seco, palideció y le dio la espalda. Recorrió de nuevo el espacio un par de veces antes de acercarse al pie de la cama—. No hemos usado protección —dijo con voz grave.

Esme sintió un escalofrío al entender las implicaciones. Entonces balbuceó:

—Estoy... tomando la píldora.

El alivio que recorrió el rostro de Zaid resultó casi cómico. Casi. Porque algo cercenó cualquier atisbo de risa del pecho de Esme. Y porque la sospecha sustituyó al alivio en la expresión de Zaid.

—¿Por qué estás tomando la píldora si no eres sexualmente activa? —preguntó con desconfianza.

—Porque el médico me la recetó para regular mis periodos.

Zaid relajó los puños y rodeó la cama hacia ella.

Justo cuando Esme recordó algo que volvió a introducir la duda en su mente. Zaid se detuvo al ver la preocupación reflejada en su rostro.

—Pero... Yo...

—¿Qué Esmeralda?

–Se me acabaron la semana pasado. Nashwa me consiguió una receta ayer, pero me he saltado tres dosis –dejó la frase en suspenso al golpearla la enormidad de las posibles consecuencias.

–¿Tres dosis son tres días? –preguntó Zaid, volviendo a tensarse.

Esme asintió abatida y Zaid hizo otra pregunta:

–¿Qué puede pasar si te saltas alguna?

Esme estaba paralizada por la angustia.

–Si me salto más de una... Tengo que tomar otras medidas contraceptivas –musitó.

Zaid volvió a maldecir. Luego se sentó pesadamente sobre el colchón, manteniéndose fuera del alcance de Esme. Se produjo un silencio ominoso.

–Zaid, cuando me llamaste anoche no pensé que sucedería... lo que ha pasado.

Zaid se frotó el mentón.

–Eso ya da lo mismo. Basta con una vez. Y si alguien es culpable, soy yo. Era mi responsabilidad y no tengo excusa por haber sido tan descuidado. Solo puedo decir en mi defensa que me has seducido hasta un nivel que me ha hecho perder la razón.

En cualquier otra ocasión sus palabras la habrían llenado de dicha. Pero no entonces. No cuando Zaid se mostraba tan preocupado.

–¿Cuándo lo sabrás? –preguntó tras unos segundos de tenso silencio.

Esme hizo un rápido cálculo.

–Faltan dos semanas para que me baje el periodo, pero puedo hacerme una prueba en unos diez días. O podría... tomar una píldora del día después, si eso es lo que prefieres...

–¡Ni hablar! No te desharás de mi hijo antes de que sepamos si hay alguna posibilidad de que exista.

Esme sintió un inmenso alivio porque era un remedio que prefería evitar, por más que la idea de estar embarazada la angustiara.

—Zaid... No sé si podría...

Zaid la tomó por los hombros y dijo:

—No lo digas. No menciones la posibilidad de negar la existencia de un hijo mío.

—No iba hacerlo. Pero no estoy preparada para esto.

Los labios que apenas hacía media hora la besaban apasionadamente formaron un rictus antes de que Zaid suspirara y le tomara una mano. Pero ya no había un ápice de calidez en su mirada, solo preocupación.

—No vamos a tomar ninguna decisión precipitada. Por el momento, actuaremos con normalidad, empezando por algo tan mundano como desayunar.

Esme contuvo el impulso de lanzar una carcajada histérica.

—¿Y después, qué?

—Luego evaluaremos nuestras opciones. Solo las que no impliquen tomar medidas drásticas. ¿De acuerdo?

—De acuerdo —replicó Esme

Y como por arte de magia, abandonaron el tema. Zaid le soltó la mano y se fue de la tienda sin añadir palabra.

Esme esperó a levantarse y vestirse a que las piernas no le fallaran. Entonces, sin saber si irse o esperar a Zaid, permaneció media hora más en el dormitorio.

Antes de que decidiera qué hacer, un sirviente la condujo a la zona de comedor donde Zaid la esperaba sentado en unos almohadones. El desayuno fue un banquete de fruta, yogurt, pasteles, y una selección de café, té y zumos, servido en un discreto silencio por un grupo de sirvientes.

En cualquier otra circunstancia, a Esme le habría inquietado el interés que pudiera despertar ser vista aquella mañana con el sultán, pero su mente estaba ocupada plenamente por un único tema: un bebé de Zaid.

Solo tomó un poco de mandarina, una tostada y un poco de yogurt con miel. Zaid guardó silencio, abstraído en sus propios pensamientos.

En cuánto retiraron el desayuno, Esme se levantó y buscó su pañuelo de cabeza para volver a su tienda. Aunque distraída, descubrió que alguien lo había dejado cuidadosamente doblado sobre una mesa. Iba a cogerlo cuando se quedó paralizada.

Aunque Zaid fuera sultán, no disponía de su vida. Su vida estaba predeterminada desde el momento de su nacimiento.

En cambio ella...

Esme tragó saliva. Si se daba la circunstancia de que estuviera embarazada, su vida, o una gran parte de ella como madre del futuro heredero de Ja'ahr transcurriría en una exótica burbuja, viviera donde viviera. Cada uno de sus pasos sería escrutado. Y como hija de Jeffrey Scott, también se investigaría su pasado.

Su pasado se daría a conocer, incluyendo su papel en la vida de su padre antes de que lo abandonara. Y lo que pasó en Las Vegas... Con Bryan.

La mano que alargaba hacia el pañuelo le tembló tanto que tuvo que cerrarla.

—¿Qué pasa? —preguntó Zaid con aspereza.

Esme se sobresaltó y lo miró. Vestido de negro de pies a cabeza, tenía el aire de un despiadado guerrero.

—Me temo que... dejar este tema no es tan fácil como creía. Ayer no era más que una trabajadora social. Hoy soy...

—La amante del sultán, y la mujer que tal vez lleve en su interior al próximo heredero de Ja'ahr —dijo Zaid con una solemnidad que no dejaba espacio a la duda.

El temblor de la mano se trasmitió a todo su cuerpo.

–Voy a volver a mi tienda. Supongo que tienes asuntos que atender.

Zaid frunció el ceño, pero se limitó a asentir con la cabeza.

–Me aseguraré de que nadie te moleste.

Esme dudaba de que pudiera descansar, pero estaba ansiosa por escapar a la mirada escrutadora de Zaid y se marchó tras despedirse balbuceante.

Pasó junto a Fawzi, que hizo una inclinación sospechosamente pronunciada al verla. Mientras cruzaba el campamento, también notó que quienes solían saludarla animadamente y sin formalidades, de pronto hacían reverencias respetuosas y sonreían con deferencia.

Sabían que había pasado la noche en el lecho de Zaid y la ponían en un pedestal al que no pertenecía. El sentimiento de culpa que sentía se convirtió en una pesada roca en su pecho.

En su tienda tuvo que contener las lágrimas que se acumulaban tras sus ojos al entrar seguidamente Nashwa y Aisha.

–Su Alteza ha dicho que debe descansar –dijo la primera–. Aisha le preparará un té de jazmín para...

–No quiero nada, gracias. Solo echarme un rato.

–Como quiera la señora.

Consciente de que las mujeres no la dejarían hasta haberla ayudado a instalarse, dejó que la atendieran y cuando se fueron, suspiró aliviada.

Pero su alivio duró poco porque estaba demasiado angustiada con el secreto que no podía guardarse. Al mismo tiempo, sabía que si admitía públicamente que conocía el pasado de su padre, sería tanto como clavar un clavo más en su ataúd.

Tomó la almohada más próxima y ocultó el rostro en ella. Pero por más que su mente quisiera volver las agujas del reloj veinticuatro horas atrás, cuando solo le preocupaba si Zaid la deseaba o no, su corazón no le concedió ese deseo. Porque de hacerlo, no habría experimentado las horas más mágicas de toda su vida. Y si dentro de ella había un bebé... Se le cortó la respiración.

Pronto lo sabría. Quizá cuando reflexionara, Zaid no estaría tan decidido a reconocer como suyo al hijo de una don nadie cuyo abuelo era un criminal. Si eso sucedía, ella solo tendría que proteger a su hijo del cuestionable legado de su pasado.

El esfuerzo que exigió bloquear la vocecita burlona que le decía que Zaid nunca renunciaría a su hijo, terminó por agotarla. Estaba mirando abstraída el techo de la tienda, cuando oyó voces animadas, seguidas del inconfundible sonido de motores.

Una mirada al reloj le indicó que llevaba dos horas en la cama. Aunque todavía quedaba una hora para la cita con los maestros de la comunidad, Esme se levantó, se refrescó la cara y se cambió de túnica. Luego volvió al salón justo al tiempo que Zaid entraba.

–Estás vestida como para viajar. Muy bien –dijo recorriéndola con gesto serio.

–¿Por qué? ¿Vamos a alguna parte?

–Sí, volvemos a palacio.

Esme frunció el ceño.

–Pero todavía tengo trabajo aquí. En una hora voy a ver a los maestros.

–El informe que completaste ayer es más que suficiente. El resto de la valoración puede realizarse por otros medios.

–¿Como cuáles?

Zaid hizo un gesto de impaciencia.

–Por teléfono, videoconferencia o cualquier otra forma. No somos una tribu primitiva.

–Ya lo sé. No he pretendido insinuar eso.

—Pues vayámonos —ordenó él, tendiéndole la mano con gesto imperioso al ver que Esme titubeaba.

—¿Por qué tengo la sensación de que me ocultas algo?

Un músculo palpitó en la sien de Zaid.

—Porque es verdad. Me he equivocado al decir que nos tomaremos un tiempo para asimilar la idea de que puedas estar embarazada. Si llevas mi hijo...

—Eso es solo una posibilidad...

—Tenemos que poner en marcha una serie de detalles —Zaid terminó la frase como si no lo hubiera interrumpido.

—¿Qué tipo de detalles? —exigió saber Esme.

—El tipo que averiguarás cuando corresponda.

—O sea, que seré la última en saber de qué se trata.

—No. Cuando se tomen las decisiones definitivas, serás la primera en saberlo.

Esme sabía que no le sonsacaría nada más. Lo supo por cómo Zaid indicó la salida como si asumiera que lo seguiría; por cómo Fawzi la guio hasta el helicóptero mientras Zaid se despedía de los ancianos de Tujullah; lo supo cuando él se sentó a su lado e inmediatamente activó el teléfono satélite.

Al tiempo que se elevaban y el piloto ponía rumbo a la capital, Esme tuvo algo meridianamente claro: a Zaid le daba igual que su embarazado estuviera o no confirmado. Aun cuando su heredero fuera una mera posibilidad, iba a hacer lo posible por reafirmar su derecho sobre él.

Zaid observó a su reducido consejo de asesores cuando la reunión mensual iba a llegar a su fin. Sabía que el último punto se iba a plantear aunque no estuviera incluido en la agenda porque así había sucedido, en ocasiones sutilmente, en otros abiertamente, durante los últimos seis meses.

En aquella ocasión no sentía desinterés ni iba a evitar el tema, tal y como había hecho anteriormente. De hecho, desde que habían entrado en la sala, se había mantenido en una expectante alerta.

Habían pasado diez días desde su vuelta con Esmeralda al palacio real. Diez días en los que había tenido que hacerse a la idea de que quizá iba a ser padre.

Aunque no tuviera la confirmación, tal y como le había dicho a Esmeralda, había que tomar algunas decisiones. Y cuanto más sopesaba sus opciones, más evidente le resultaba que solo tenía una. Pero aún más, se había dado cuenta de que no podía seguir evitando la decisión que llevaba mucho tiempo postergando. Estuviera Esmeralda embarazada o no, él tendría que casarse en el futuro inmediato.

Era innegable que un matrimonio con una mujer de un reino aliado podía contribuir a la estabilidad de Ja'ahr. Y que además, el matrimonio y el anuncio de un heredero sería incluso más celebrada por su pueblo.

En cualquier caso, era una decisión que tenía que ser discutida, así que ¿por qué no en aquel momento? ¿Y por qué no podía ser Esmeralda y el hijo del que tal vez ya estaba embarazada? Dos pájaros... Un tiro...

Miró al mayor de los asesores, un hombre de setenta años que no solo había sido fiel a su padre, sino que había arriesgado su vida para salvarlo a él: Anwar Hanuf.

Anwar carraspeó y se hizo el silencio.

—Aún a riesgo de repetirme, creo que es el momento de que asegures tu posición de sultán y te cases, Zaid.

Que Zaid permaneciera en silencio cuando normalmente, llegado ese momento, daba la reunión por terminada para evitar responder, sorprendió al anciano. Insistió:

–Nuestros países vecinos quieren fortalecer nuestras relaciones por medio del comercio, pero algunos preferirían sellarla con una alianza matrimonial –el anciano se detuvo y miró a Zaid. Al ver que le indicaba que continuara, se apresuró a abrir un dosier y leyó una lista de posibles candidatas.

Tras la cuarta, Zaid lo interrumpió:

–Aunque sé que los matrimonios concertados han contribuido a forjar alianzas, yo no me voy a casar con una mujer a la que no conozca. Pero sí creo que casarme contribuiría a la estabilidad del país.

Anwar se irguió y lo miró fijamente.

–¿También estás de acuerdo en que cuanto antes, mejor?

–Sí. Y tengo una candidata.

El grupo intercambió una mirada y Anwar hizo en alto la pregunta que todos tenían en mente.

–¿La mujer inglesa? –preguntó abatido.

Zaid entornó los ojos.

–¿Tenéis algún problema?

–Claro que no. No es ella, sino su padre quien nos preocupa.

–Su suerte depende de un jurado, no de mí.

Anwar carraspeó:

–Pero es posible que nuestros enemigos utilicen a su padre para oponerse.

–Nos enfrentaremos a ellos como a todos los criminales: aplicando la ley.

–De acuerdo, Alteza –dijo Anwar–. Esperaremos tus instrucciones antes de hacer el anuncio formal.

Zaid permaneció en la sala después de que sus asesores se fueran, preguntándose si no habría actuado precipitadamente, pero llegó a la conclusión de que había hecho lo correcto.

Estuviera embarazada o no, casarse con Esmeralda tenía sentido: eran compatibles en la cama y fuera de ella. Había mostrado interés en el bienestar de su gente, y una asombrosa facilidad para adaptarse al país y a sus costumbres.

Era inteligente.

Zaid estaba seguro de que comprendería que rechazarlo no era una opción posible.

–No.

Por primera vez desde que lo conocía, Zaid se quedó sin palabras. También ella, dado que jamás había soñado con escuchar de sus labios las últimas palabras que había pronunciado:

«Cásate conmigo».

Su respuesta había brotado de la convicción de que era un error. De la misma manera que lo había sido la otra ocasión en la que había recibido una proposición de matrimonio.

«Cásate conmigo».

No había habido el menor sentimentalismo, sino la solemnidad equivalente al redoble de tambores. Zaid había llegado a la conclusión durante los diez días que no se habían visto y en los que le había hecho permanecer en palacio con la excusa de que debía descansar; y aparentemente, la decisión estaba tomada, con o sin su aprobación

–¿Qué has dicho? –preguntó Zaid perplejo.

–Que no me voy a casar contigo. Sabes perfectamente que es una propuesta basada exclusivamente en la posibilidad de que esté embarazada.

Zaid se acercó en tensión a Esme, que se encontraba

en uno de tantos preciosos jardines que rodeaban el palacio. En lo días precedentes, lo había explorado a su antojo, y cada nuevo descubrimiento la había dejado asombrada.

En esos días se había dado cuenta además, de que estaba enamorándose Ja'ahr y de su gente. Intuir que durante sus recorridos anhelaba encontrarse con su sultán y que lamentaba no seguir viajando con él por el país, la inquietaban.

Mirándola perplejo, Zaid dijo:

—Lo natural es que quiera reconocer y legitimar a mi heredero.

Esme estuvo a punto de reír. Si no lo hizo fue porque sentía una dolorosa presión en el pecho que impidió que la risa alcanzara sus labios.

—Entonces podemos acabar con esto si me dejas hacerme una prueba temprana de embarazo.

—¿Por qué estás tan segura de que no estás embarazada?

—No estoy segura. Pero no entiendo por qué no quieres esperar a confirmarlo, ni por qué me propones matrimonio. ¿Crees que tu gente cuestionará la legitimidad del bebé, si es que lo hay, dependiendo de la fecha exacta en la que naciera?

Zaid apretó los dientes.

—No es eso lo que me preocupa. El anuncio puede hacerse cuando venza la fecha de tu próximo ciclo. La cuestión es que la boda de un soberano requiere tiempo para ser organizada, así que deberíamos ponerla en marcha.

Esme negó con la cabeza.

—Hay algo más, ¿verdad, Zaid? ¿Qué me ocultas?

Zaid mantuvo un silencio prolongado antes de finalmente decir:

—Hace tiempo que me presionan para que me case.

Lo he retrasado, pero mi obligación es casarme y tener herederos. Ha llegado la hora de que cumpla con mi deber.

Esme invocó la imagen de Zaid casado con una mujer a la que haría feliz llevar su alianza y tener sus hijos. La certeza de que no sería ella le produjo un alarmante desánimo, que incrementó su miedo a estar enamorándose no solo de Ja'ahr, sino también de su gobernante.

Pero apartó ese pensamiento con firmeza. Su pasado le impedía contemplar cualquier posibilidad que no fuera marcharse del país.

—Por eso mismo deberías descartar lo antes posible que esté embarazada. Así podrás elegir a alguien más apropiado.

—¿Alguien más apropiado? —preguntó Zaid.

La carcajada en la que estalló Esme le rasgó la garganta.

—Vamos, Zaid, ¿me habrías considerado una esposa adecuada de no ser por mi posible embarazo?

Zaid tuvo la deferencia de titubear y no precipitarse a negarlo. Su mirada se veló pasajeramente.

—Estamos donde estamos. Solo podemos actuar con pragmatismo.

—Esto es absurdo. Deja que me haga la prueba. Así los dos podremos retomar nuestras vidas.

La mirada de Zaid se oscureció.

—¿Has olvidado que te has comprometido a vivir bajo mi techo mientras yo requiera tu presencia aquí?

—No, pero tampoco he olvidado que será algo temporal.

Una vez más, la idea de abandonar Ja'ahr, y a Zaid, le produjo un desconsuelo que prefirió ignorar.

Su respuesta irritó a Zaid, que la observó largamente antes de tomarla por la muñeca y tirar de ella hacia el interior.

–Muy bien, acabemos con esto –dijo con firmeza.

–¿Dónde vamos? –preguntó Esme, acelerando para seguirle el paso.

–Lo haremos a tu manera. Pero solo con la condición de que si la prueba temprana sale negativa, haremos las pruebas posteriores para obtener el diagnóstico preciso.

Esme había llegado a conocer el palacio como para darse cuenta de que Zaid la estaba llevando hacia sus aposentos.

–¿Vamos a hacer ahora la prueba de embarazo? –preguntó, sintiéndose súbitamente insegura respecto a si estaba preparada para lo que significaba: marcharse de Ja'ahr.

Zaid la miró de soslayo.

–¿No es eso lo que querías?

–Pe-pero, no tengo la prueba –Esme no había querido pedirle a Nashwa que se la comprara por no dar lugar a especulaciones.

Vio que Zaid sacaba su teléfono y marcaba un número. Tras intercambiar unas palabras, colgó.

–Problema resuelto.

A pesar de haber conseguido lo que pedía, Esme sentía una garra asirle el corazón. Pronto sabría si su vida quedaría vinculada para siempre a la de Zaid.

No le sorprendió ver a Fawzi esperándolos a la entrada de los aposentos de Zaid. Con una inclinación, le entregó una caja y se marchó.

Ya a solas, Zaid abrió la caja y sacó las dos pruebas de embarazo que contenía.

Esme las tomó de sus manos con dedos temblorosos, y cuando miró a Zaid vio que también él experimentaba una profunda emoción. Él entonces la acompañó hasta la puerta del cuarto de baño.

Como el resto del palacio, era espectacular, pero

Esme solo podía concentrarse en el destino del que la separaban apenas unos minutos.

Y el destino la saludó en la forma de dos definidas líneas azules.

Esme no fue consciente de que hubiera abierto la puerta. Solo supo que tenía a Zaid ante ella, alto y erguido, conteniendo el aliento.

–Estoy embarazada –dijo.

Capítulo 12

ESME no recordaba qué pasó a continuación, solo había un vacío entre emitir aquellas palabras y encontrarse echada en un sofá de terciopelo, con Zaid inclinado sobre ella, observándola con preocupación.

–¿Qué-qué ha pasado?

Zaid la miró contrariado.

–Me he equivocado al creer que serías más sensata una vez tuvieras la respuesta, pero parece que la idea de estar embarazada ha tenido un efecto negativo sobre ti. Me has dado la noticia y te has desmayado.

Esme sintió que la habitación daba vueltas al recordarlo. Estaba embarazada. «¡Dios mío!»

Cerró los ojos y respiró profundamente.

–Abre los ojos, Esmeralda. Tenemos que enfrentarnos a esto juntos –dijo él.

Ella obedeció solo porque tenía razón, aunque lo que habría querido hacer era dormirse.

–Zaid... –dijo con voz ahogada. Fue a incorporarse, pero él la sujetó por el hombro para impedírselo.

–No te levantes. El médico está de camino.

–¡No necesito un médico! –protestó Esme.

–Yo opino lo contrario.

Esme se dejó caer sobre los almohadones, negándose a admitir lo frágil que se sentía al sentir su mano a través de la tela. Un instante después Zaid posó la mano sobre su vientre y a Esme se le aceleró el corazón.

Los ojos de Zaid se velaron antes de que retirara la mano. Fue hasta un mueble y volvió con un vaso de agua. Esme bebió varios sorbos ante su vigilante mirada. Luego carraspeó.

–Tenías razón. Debemos esperar a hacer de nuevo la prueba. Puede que se haya tratado de un falso positivo... –dejó la frase en suspenso al ver la mirada de irritación de Zaid.

–¿Tanto te espanta la idea de estar embarazada de mí?

Esme se quedó helada.

–¿Qué?

–Primero querías hacer la prueba lo antes posible ¿y ahora quieres negar la verdad? Si fuera más paranoico, pensaría que casarte conmigo, tener mi hijo, te resulta repugnante, *habiba*.

–No –se apresuró a decir Esme–. No me entiendes. No se trata de ti –tomó aire–. Es que... No quiero que cometas un error del que acabes arrepintiéndote –concluyó.

Zaid esbozó una tensa sonrisa.

–Estás empeñada en salvarme de mí mismo. ¿Acaso crees que no he evaluado las distintas opciones antes de tomar una decisión?

Esme pensó que eso era imposible porque no sabía toda la verdad.

«¡Dísela!»

–Eso es lo que creo.

–Pues ilumíname.

–Zaid tengo un pasado complicado. Mi padre...

Zaid cortó el aire con la mano.

–Tú no eres como tu padre. Si lo fueras, no te habría dado el trabajo que te he dado. Mi gente ya te quiere.

Mis consejeros te aprueban como mi prometida. Y aquellos que pudieran ser más reticentes, saben que eras virgen antes de que ocuparas mi lecho.

El último comentario alarmó a Esme.

–¿Qué? ¿Cómo es posible que...? ¿Por las manchas en la sábana?

Zaid no parecía sentir la menor vergüenza por algo que a ella hacía que le ardieran las mejillas.

–Los más tradicionalistas tendrán que conformarse con eso.

–¡Dios mío! –musitó ella incrédula. Se humedeció los labios y volvió a intentarlo–: Zaid, escúchame.

–¿Sabías que mi abuela era la segunda esposa? –la interrumpió Zaid de nuevo.

–No, no tenía ni idea.

–La primera mujer de mi abuelo era americana –siguió él–. El pueblo la aceptó plenamente y llegó a amarla hasta su desafortunada y temprana muerte. Así que, ya ves, mi país no es tan reaccionario como crees.

–Pero hay facciones a las que no les parecerá bien, ¿no? –apuntó ella–. Como quienquiera que animó a actuar al jefe de policía.

Zaid se tensó.

–Me limitaré a repetirle lo que le dije la noche que fui a buscarte.

–¿Y qué le dijiste?

–Que me perteneces y que estás bajo mi protección.

Esme hizo una mueca.

–Eso suena como si fuera tu esclava.

–Era él quien quería usarte como un peón. Tenía que comunicarme con él en un lenguaje que entendiera. Y creo que lo conseguí. Si eso es todo lo que te preocupa, estate tranquila.

–No es... –Esme se vio interrumpida por tercera vez, pero en aquella ocasión, por una llamada a la puerta.

Tras dar Zaid permiso, entró Fawzi, seguido por un hombre alto con gafas, cabello cano y paso firme.

Tras un rápido intercambio de saludos, Fawzi se fue, y el hombre se aproximó a Esme.

–Soy el doctor Aziz. Me dicen que se ha desmayado –comentó con acento americano.

Esme miró a Zaid y este explicó:

–El doctor Aziz ha sido mi médico personal desde pequeño. Viajó conmigo a Estados Unidos y me siguió cuando volví. Confío en él plenamente.

Esme percibió una emoción en sus palabras que le indicó que los dos hombres estaban muy unidos.

El médico sonrió al tiempo que abría su maletín.

–Lo que quiere decir es que espera que no comparta con usted el secreto de que no es tan invencible como le gusta hacer creer.

Su naturalidad hizo sonreír a Esme y fruncir el ceño a Zaid.

–Será mejor que explores a tu paciente.

–Estoy bien, de verdad...

–Está embarazada –dejó caer Zaid.

El doctor Aziz disimuló su sorpresa y se limitó a decir:

–¡Qué gran noticia! ¡Enhorabuena!

–Danos la enhorabuena después de examinarla, Joseph –dijo Zaid cortante.

El médico asintió y preguntó:

–¿De cuánto tiempo?

–Mmm... Acabamos de hacer la prueba –dijo Esme.

–La fecha relevante es hace diez días –señaló Zaid.

Joseph Aziz frunció el ceño.

–Es demasiado pronto para desmayarse.

–Deja de decir obviedades y atiéndela.

–¡Zaid!

El médico sonrió.

–No se preocupe, estoy acostumbrado. Cuando está preocupado, se pone de mal humor.

Zaid se alejó mascullando algo entre dientes. Joseph procedió entonces a hacer una serie de preguntas y tomar notas en una tableta. Frunció el ceño cuando Esme dijo que había perdido el apetito. Cinco minutos más tarde, cerró su maletín.

–¿Y? –Zaid se acercó al instante como una nube gris.

–Todo bien. Solo tiene un poco bajo el azúcar. Supongo que eso, combinado con descubrir que estaba embarazada del sultán, sería una conmoción para cualquiera. Con que coma regularmente, estará bien –sonrió a Esme mientras Zaid la observaba con ojos entornados.

–Te he dicho que estaba bien –dijo ella, sentándose.

–Tú idea de estar bien difiere de la mía, *habiba*, sobre todo si no estás comiendo –farfulló Zaid antes de volverse hacia Joseph.

Intercambiaron unas palabras en árabe y el médico se marchó. Fawzi entró a continuación.

–Alteza, su teleconferencia está a punto de comenzar.

Zaid asintió con la cabeza y su secretario se colocó a una distancia discreta. Esme se desesperó.

–Zaid. Tenemos que hablar –musitó con urgencia.

–Estás embarazada de mi hijo, Esmeralda –susurró él con fiereza–. Nada de lo que tengas que decirme puede ser más importante que eso.

Esme sintió que se le retorcían las entrañas.

–Pero es que no sabes...

–¿No? Vas a confesar que tienes un pasado dudoso con tu padre –Zaid se limitó a parpadear cuando ella ahogó una exclamación–. Pero olvidas que sé qué tipo de hombre es. Es un estafador de primera en cuya tela de araña caíste a una edad temprana.

—Hay algo más, Zaid —insistió ella.

Él se acercó y la tomó por los hombros:

—Siempre hay algo más. Pero lo que importa es que en cierto momento tomaste la decisión de alejarte de él. ¿O no fue tu decisión? —la presionó él.

Ella asintió con la cabeza.

—Sí.

Zaid sonrió por primera vez plenamente antes de volver a adoptar una expresión seria.

—Así que cambiaste tu vida. No necesito más pruebas de que he tomado la decisión correcta.

La sensación de estar hundiéndose en tierras movedizas a pesar de la cuerda que Zaid le estaba tendiendo se intensificó.

—¡Por favor, Zaid, escúchame!

—¿Alteza? —lo reclamó Fawzi.

Zaid suspiró.

—Te casarás conmigo, Esmeralda. Lo harás por el bien de nuestro hijo, y conseguiremos que todo vaya bien.

Esme sintió un súbito enfado.

—¿Así de simple?

Zaid la recorrió con una mirada de deseo que transformó su rabia en algo igualmente primario.

—Créeme, *jamila*, nada de lo que pase entre nosotros va a ser simple. Pero por ahora has de quedarte aquí. Haré venir a Nashwa y Aisha y te traerán algo de comer. Si cuando vuelva sigues queriendo hablar, hablaremos.

Se marchó tras aquellas palabras y casi al instante Nashwa y Aisha entraron con un banquete.

Esme reflexionó sobre lo que Zaid le había contado. Al subir al trono tras el gobierno dictatorial de su tío y dedicarse a su gente sin pedir nada a cambio, se había ganado su confianza y con ello había puesto las primeras piedras del cambio.

Las manifestaciones, que habían disminuido en las últimas semanas, eran una señal de que Zaid se estaba ganando incluso a los ciudadanos inicialmente refractarios. Ella sabía por su trabajo como trabajadora social que el matrimonio proporcionaba siempre un medio más estable que la maternidad en solitario ¿Y si el proveedor de la estabilidad de su bebé era un sultán...?

En el fondo de su corazón, Esme creía que podían lograr que su relación funcionara. Pero ¿la perdonaría Zaid si alguna vez se enteraba de lo que había hecho?

Para cuando terminó de probar cada una de las delicias que tenía ante sí, había decidido que tenía que poner todas las cartas sobre la mesa cuando Zaid volviera.

Excepto que en cuanto entró, cinco horas más tarde, bastó mirarlo para saber que pasaba algo verdaderamente grave.

–Tengo que ir a París de inmediato –anunció él.

Esme se puso en pie y lo siguió a su dormitorio, donde dos sirvientes estaban preparando ya las maletas.

Esme sintió una profunda desilusión al pensar que iba a ausentarse de nuevo, y aunque la posible razón de ese sentimiento le resultó aterradora, preguntó:

–¿Por qué?

–Un acuerdo que iba a firmar la semana que viene durante una cumbre comercial, está en peligro. Llevo seis meses trabajando en él y no puedo permitir que fracase.

Esme se sintió aún más desconcertada por el abatimiento que la dominó.

–Ah, vale. ¿Cuánto tiempo estarás fuera?

–Tanto como tarde en solucionarlo, así que lo menos posible.

–Muy bien. Te-te veré a la vuelta.

Zaid se detuvo en el proceso de quitarse el *keffiyeh*.

–No, me verás a diario porque vienes conmigo, Esmeralda.

Ella abrió los ojos desorbitadamente.

–¿Yo? ¿Por qué?

Zaid la miró con determinación.

–Primero porque no hemos acabado nuestra conversación. Y porque una vez coincidas conmigo en que la única salida posible es casarnos, pasarás el resto del tiempo con los diseñadores designados por el palacio para elegir el ajuar de la boda.

Esme no podía negarse, a no ser que estuviera dispuesta a esperar días a que Zaid volviera y, por tanto, a concluir su conversación con él.

–Está bien. Iré a hacer la maleta.

Zaid le sonrió de soslayo al tiempo que se quitaba la túnica e iba hacia su vestidor.

–No hace falta, ya la están haciendo por ti.

La visión de su torso ahogó una airada protesta de Esme. O quizá el hecho de que al volver, Zaid apareciera con uno pantalones grises y un inmaculado polo blanco.

Esme se quedó mirándolo como hipnotizada, y al verlo pasarse los dedos por el cabello deseó que fueran los suyos. Zaid se detuvo ante ella.

–¿Has comido? –preguntó escrutando su rostro.

Ella asintió con la respiración agitada al llegar a su nariz el aroma de su fragancia.

–Bien –dijo él–. Deberíamos partir en una hora. Será mejor que vayas a supervisar a tu servicio.

A partir de ese momento, el tiempo pareció acelerarse. Tras una rápida ducha, Esme se puso unos pantalones con un top de mangas anchas a juego, sandalias doradas. En cuanto estuvo lista, partieron hacia el aeropuerto.

El avión real esperaba en la pista. Esme había creído que tendría la oportunidad de hablar con Zaid durante el viaje, pero en cuanto embarcaron, la instalaron en una suntuosa suite con Nashwa y Aisha, mientras Zaid se reunía con sus consejeros económicos en otra zona del avión.

Una vez llegaron a París, siguieron rodeados de gente. El séquito real había reservado una planta completa del Avenue Montaigne, con dormitorios separados para Zaid y ella. Aunque de decoración tradicional francesa, incluía toques exóticos orientalizantes que hizo a Esme sentirse en casa... Y darse cuenta de que empezaba a pensar en Ja'ahr como su hogar.

Los días pasaron y Esme fue sintiéndose cada vez más nerviosa al no poder hablar con Zaid. Cuando se enfadaba, pensaba que él lo estaba haciendo a propósito. Pero entonces lo veía a través de la ranura de una puerta con sus consejeros, con el rostro contraído en una mueca de preocupación, y se reprendía por pensar mal de él. En una de esas ocasiones, él la miró cuando ella vacilaba en la puerta y bajó la vista a su vientre prolongadamente antes de retirarla y retomar su conversación.

La muda indicación de que también pensaba en ella y en su hijo, redobló el sentimiento de culpabilidad de Esme.

Fue eso lo que impidió que echara a los diseñadores cuando empezaron a llegar el sexto día. Eso y el hecho irrefutable de que no le había bajado el periodo. Tuvo la ocasión de estar un par de minutos a solas con Zaid después de constatar esa realidad.

Zaid la miró y preguntó con el ceño fruncido.

—¿Qué pasa?

—No-no me ha venido el periodo.

La caricia Zaid que le hizo en la mejilla contradijo la mirada de reproche que le dirigió.

—Lo sé —fue todo lo que dijo. Y se marchó para acudir a su siguiente reunión.

Con la certeza de que su estado era definitivo, Esme se sentó en un sillón en su suite y contempló la sucesión de preciosos vestidos que le fueron presentando.

Aparentemente, Su Alteza había pedido un ajuar completo y un vestuario nuevo para la luna de miel. Para la boda, el traje tradicional de novia estaba siendo elaborado en una localización secreta, desconocida para Esme.

Durante toda la sesión, Esme fue pasando por un frustrante ciclo de ansiedad y enfado, pero su mente acababa concentrándose en un rayo de esperanza que se resistía a apagarse.

Zaid había preparado todo aquello a pesar de que sabía que su pasado estaba lejos de ser ejemplar. Si él estaba dispuesto a arriesgarse por el bien de su hijo, ¿no estaría ella actuando erróneamente al interponerse entre su hijo y la herencia que le correspondía por derecho?

Lo único que la retenía era su secreto.

Se lo contaría a Zaid antes de que sucediera algo irreversible. Pero entretanto, intentaría olvidarlo y seguiría eligiendo el ajuar.

El aplauso de Nashwa y Aisha en cuanto se probó la selección confirmó que había elegido acertadamente, y le alivió haber cumplido con aquella tarea.

Zaid entró cuando los estilistas se llevaban las prendas.

—Has elegido tu ajuar —dijo, no como una pregunta, sino como la confirmación de que había hecho lo que él le había pedido.

—Sí —dijo ella con voz temblorosa.

—Entonces ¿te casarás conmigo? —aunque en esa ocasión sí fuera una pregunta, era evidente que sabía la respuesta.

Esme bajó la mirada y musitó:

—Sí.

A partir de ese momento, los acontecimientos se aceleraron aún más. Al día siguiente, Zaid le regaló un precioso diamante y Esme no pudo contener las lágrimas cuando él le dijo que había pertenecido a su madre.

Habría sido un instante mágico de no haberse producido frente a más de veinte personas, entre asesores y fotógrafos, responsables de capturar el momento de la proposición oficial. A continuación, se anunció el compromiso en Ja'ahr.

Zaid la tomó de la mano en medio de la sala, rodeados del personal, mientras veían en la televisión el momento del anuncio, y a Esme se le formó un nudo en el estómago cuando la cámara enfocó a la multitud reunida en los parques y estadios estallar en ensordecedores gritos de alegría.

En el hotel, se repitieron los aplausos y Zaid le susurró al oído:

—Te dije que te darían la bienvenida con los brazos abiertos.

Al instante, la popularidad de Esme se disparó.

Como también lo hicieron las delicadas negociaciones que Zaid estaba intentando cerrar.

Las reuniones se prolongaron hasta altas horas de la madrugada, los nervios se perdieron y el tono se agrió. Cuando Zaid salió de la sala de reuniones tres días después del compromiso con gesto de exhausta frustración, a Esme se le encogió el corazón. Y aún se desanimó más cuando él se acercó y le anunció:

–Fawzi ha dado instrucciones a tu servicio para que hagan tus maletas. Vuelves a Ja'ahr esta tarde.

–¿Por qué? –preguntó ella descorazonada.

–Voy a tener que prolongar mi estancia aquí, tú tienes que organizar la boda.

Esme no quería marcharse.

–Zaid, todavía tenemos que hablar de mi pasado.

Zaid cortó el aire con la mano.

–¡Basta ya con ese empeño en hablar!

Esme sintió hervir el enfado en su interior.

–Esto es importante...

–También lo es la boda. ¿Por qué no te concentras en el futuro y dejas de pensar en el pasado?

–Solo necesito diez minutos –insistió ella.

–No dispongo de tanto tiempo, Esmeralda. Solo he salido para despedirme de ti.

–Para anunciarme que me envías de vuelta a Ja'ahr podías haberme mandado un mensaje.

Zaid resopló con impaciencia.

–No quiero pelearme contigo.

–Claro, porque lo único que quieres de mí es que te obedezca.

Zaid bajó la mirada a su vientre.

–Dadas las circunstancias, preferiría que lo vieras como colaboración, y no como obediencia.

Esme sitió una dolorosa presión en el pecho.

–Ya sé que no soy más que el vientre que cobija a tu hijo, pero deberías pensar también en mi estado de ánimo.

Zaid la miró desconcertado, pero en ese instante entró Fawzi.

–Alteza, lo están esperando.

Zaid resopló resignado.

–Enseguida voy.

Esme no pudo evitar decir con sarcasmo:

–Por supuesto que irás.

Él entornó los ojos:

–Esmeralda...

Ella lo despidió con un gesto de la mano a pesar del dolor que le retorcía las entrañas.

–Tranquilo, Zaid. Entiendo que tienes tus prioridades. Ya nos veremos cuando me toque el turno.

Y entonces hizo lo que él había hecho en numerosas ocasiones. Dejarlo plantado, mirando al vacío.

En el viaje de retorno, Esme se encerró en la suite principal con su almohada como única compañía.

Zaid no podía haber sido más claro: ella era solo un medio para sus fines. La había llevado a París para presionarla y hacerle aceptar el matrimonio. En cuanto había aceptado su puesto en el tablero de ajedrez, había dejado de serle necesaria. Y no había ocultado en ningún momento que su principal motivo era el bienestar de su gente y de su heredero.

¿Por qué entonces sentía tanto dolor? Esme encontró la respuesta en su palpitante corazón: estaba enamorada de Zaid.

La melancolía que acompañó a esa revelación persistió durante los días siguientes. Perdida en su sombrío estado de ánimo, que ni siquiera contrarrestaba la alegría del bebé que crecía en su interior, tardó en darse cuenta de que se había producido un leve cambio en la actitud de pueblo.

Cuando empezó a prestar atención, vio reportajes y tertulias en la televisión en la que se cuestionaba la conveniencia de tener a la hija de un criminal como primera dama de Ja'ahr. Y a medida que se cuestionaba su pasado, su ansiedad fue en aumento. Junto con el sentimiento de que su tiempo había concluido. Y pensó que quizá eso era lo mejor: que la decisión la tomaran aquellos que importaban: los ciudadanos de Ja'ahr.

Esos pensamientos se materializaron al día siguiente, una semana después de su retorno de París durante los que no había mantenido casi ningún contacto con Zaid.

Nashwa la sorprendió, y no gratamente, al anunciarle que el jefe de policía pedía verla.

Cuando Esme entró en su despacho, Amed Haruni lo recorría como si le perteneciera. Dejó el pisapapeles que tenía en la mano y la miró sin tan siguiera inclinar la cabeza como cortesía.

Pero a Esme solo le importaba saber por qué estaba allí.

—¿Qué puedo hacer por usted? –preguntó altiva.

—No me andaré con rodeos, señorita Scott. Hay un número creciente de ciudadanos que consideran un error su futuro matrimonio.

A pesar de sus propias dudas, Esme contestó con desdén:

—Y supongo que usted es uno de ellos

—Amo mi país y estoy en la obligación de hablar antes de que sea demasiado tarde.

—¿Por qué acude a mí y no al sultán?

Haruni abrió los brazos con gesto de fingida inocencia.

—Porque no está aquí, sino negociando absurdos acuerdos en el extranjero.

Esme se enfureció.

—No son absurdos, se lo aseguro.

—No estoy aquí para hablar de eso.

—Entonces, dígame para que ha venido.

El hombre le dedicó una sonrisa de serpiente.

—Puede que haya engañado a nuestro sultán, pero yo sé exactamente quién es usted, señorita Scott. Sé lo que sucedió en Las Vegas con cierto hombre llamado Bryan Atkins.

Esme se quedó petrificada y Haruni sonrió satisfecho.

—¿Qué quiere de mí? —preguntó ella entonces.

Él la miró con insolencia.

—Que haga lo correcto. Si Zaid Al-Ameen no es la persona adecuada para ser nuestro sultán, usted lo es menos para ser nuestra sultana.

Esme ahogó una exclamación.

—¿No cree que Zaid sea apropiado como sultán?

—Hay personas mejor cualificadas.

—Cuya voluntad usted podrá controlar —dijo ella altiva.

Él la miró entornando los ojos.

—Tenga cuidado con lo que dice. El sultán no está aquí para protegerla.

Esme sintió un escalofrío.

—¿Eso es todo lo que quería decirme?

Él sacó un sobre de un bolsillo.

—Aquí tiene un billete para volver a su país. Si lo desea, puedo proporcionarle escolta hasta el aeropuerto.

—No la necesito. Si es que decido irme, lo haré por mi cuenta.

Haruni dejó el sobre en una mesa y dijo:

—Márchese mientras pueda, señorita Scott.

Y tras esa amenaza, se fue.

Esme exhaló y tomó aire profundamente mientras en su mente se arremolinaban los pensamientos, sin saber cómo actuar. En primer lugar tenía que poner a Zaid sobre aviso, pero también debía de hacer algo respecto al asunto que la había angustiado ya antes de que llegara el jefe de policía. No podía casarse con Zaid.

Se sentó a su escritorio con el corazón en un puño y redactó una carta. Tres horas más tarde, había hecho las maletas. Pensó en llamar a su padre pero descartó la idea. No podía arriesgarse a que su partida se hiciera pública. Aun así, lo que más la sorprendió fue que nadie cuestionara su deseo de que la llevaran al aeropuerto.

Cuando pidió un asiento en el siguiente avión que partiera de Ja'ahr, el empleado le sonrió atentamente. Sin tan siquiera preguntar cuál era el destino del vuelo, se sentó a esperar abstraída.

Solo empezó a sospechar que pasaba algo raro cuando ya se anunciaba el embarque del vuelo. En primer lugar, el empleado le informó que sufriría un retraso de al menos dos horas. Luego, la zona en la que estaba empezó a vaciarse. Cuando lo notó, Esme miró a su alrededor y vio que la enfocaban varias cámaras de móviles. Luego se dio cuenta de que los guardaespaldas que creía haber despedido estaban presentes a una discreta distancia.

Esme se puso en pie al tiempo que se alzaba un murmullo y vio que alguien señalaba hacia el ventanal que tenía a su espalda. Al volverse, tragó saliva: el avión real estaba en la pista.

Un segundo más tarde vio a Zaid, caminando con paso decidido hacia ella. No necesitó hablar porque la furia y la desilusión estaban impresas en su rostro.

–Zaid...

–Estamos en público, *jamila* –masculló él–. Sonríe y tómame la mano. Saldremos de aquí y volveremos a palacio.

–No puedo –dijo ella angustiada.

El rostro de Zaid se crispó en una mueca de contención.

–No voy a dejarte ir, Esmeralda.

–Zaid, el jefe de policía...

–Ha sido obligado a presentar la dimisión –Zaid alzó la carta que ella le había escrito–. Esto no cambia nada, Esmeralda. Nuestra boda va a celebrarse, así que acostúmbrate a la idea.

Capítulo 13

LA BODA Ja'ahrí era distinta todas las que Esme conocía. Durante una semana, Zaid y ella se reunieron cada atardecer con un consejo de ancianos para repetir sus votos de fidelidad, lealtad y devoción. A continuación se celebró un banquete en honor de mil invitados y dignatarios.

Esme estaba contemplando hipnotizada los fuegos artificiales que marcaban el final oficial de las celebraciones cuando notó que Zaid la observaba.

Que ella hubiera intentado echarse atrás, lo había enfurecido y su negativa había sido rotunda. Esme se habría enfrentado a ambas de no haberse dado cuenta en el instante en que Zaid caminaba hacia ella en el aeropuerto de que estaba completa e irrevocablemente enamorada de Zaid Al-Ameen.

Zaid estaba seguro de haber tomado la decisión correcta. Su mujer, su reina y futura madre de sus hijos, era preciosa, además de encantadora con su pueblo. Mucha gente había acudido a las verjas del palacio a entregarle flores. Cuando acabara la ceremonia, antes de partir de luna de miel, se situaría junto a él para agradecer a su pueblo, por televisión, el apoyo que le habían dado.

Todo había pendido de un hilo. Quizá había tardado en actuar contra Ahmed Haruni, pero había necesitado una última prueba para demostrar que intentaba dar un golpe de Estado. Y con ello había estado a punto de perder a Esmeralda. La mera posibilidad seguía estremeciéndolo. Y en aquel momento, al observarla, se daba cuenta de lo cerca que había estado de que eso pasara.

Pero ya estaban casados. Y Zaid estaba ansioso por presentarla al mundo. Aún más por quedarse con ella a solas y disfrutar de las delicias de su cuerpo. Tal vez así liberaría parte del anhelo que lo consumía, aunque para ello tenía toda una vida por delante.

Entonces, ¿por qué le inquietaba tanto observar que su precioso rostro se ensombrecía cuando creía que no la miraba?

Interrumpió la conversación que mantenía con un ministro para volver junto a su esposa. Le tomó la mano y se la besó, pero al notar que se tensaba, volvió a sentir una punzada de inquietud. Era consciente de que su comportamiento en el aeropuerto había dejado mucho que desear, pero estaba decidido a rectificar.

—Es hora de despedirnos —dijo.

—¿Ya? —Esme pareció sorprenderse.

—Llevan disfrutándote una semana. Ahora te quiero para mí.

Se encargó de que la despedida y discurso de agradecimiento fueran lo más breves posible y finalmente partieron hacia el aeropuerto. Había llegado el momento de hacer a Esmeralda su esposa en todos los sentidos de la palabra.

Volaron a las Bahamas antes de embarcar en el yate real en Nassau. A pesar del lujo que los rodeaba, para cuando embarcaron Esme estaba agotada. Mantener sus sentimientos bajo control tenía ese efecto en ella.

Aunque hubiera finalmente aceptado que amaba a Zaid, estaba decidida a ocultárselo porque sabía que él nunca la correspondería.

Partieron de inmediato. El plan era ir de isla en isla durante dos semanas.

Esme estaba dándose una ducha mientras intentaba calmar sus alteradas emociones cuando Zaid entró en el cubículo, desnudo.

Para cuando llegó junto al chorro de agua que caía en cascada sobre su cuerpo, cada milímetro de Esme ardía en deseo.

–¿Te parece una locura que sienta celos del agua? –preguntó él con voz aterciopelada al tiempo que le besaba un hombro

Esme se echó hacia atrás y se golpeó la espalda contra la pared.

–¿Qué-qué haces aquí?

–Si tienes que preguntarlo es que algo va mal –dijo él, acercándose con la mirada entornada.

Esme alzó la mano para detenerlo.

–Sé que estamos de luna de miel, pero...

–¿Pero?

–Yo... Zaid, en realidad tú no me deseas...

–Fíjate bien, *habiba*. Aquí tienes la prueba.

Esme bajó la mirada y se ruborizó al detenerse en aquella orgullosa y dura parte de su anatomía.

–No-no me refiero a eso.

Zaid suspiró.

–Sé que hemos tenido un comienzo complicado, pero no hagamos de esto un problema.

Esme sabía que ante Zaid se debilitaba, pero no supo lo vulnerable que era hasta que su cuerpo, por propia voluntad, se echó en sus brazos.

Él exhaló un gemido primario y le dio un beso voraz, exigente. Y Esme respondió con osadía, acaricióndolo y arrastrándolo al mismo febril deseo que él le inspiraba a ella.

Zaid la tomó en brazos y tras secarse a medias, sin soltarla, la llevó a la cama. Antes de depositarla en ella, dijo con voz grave:

—Ahora serás mi esposa de verdad.

—Y tú mi esposo.

Los brazos que la dejaron reverencialmente en la cama temblaban levemente, pero el beso fue tan decidido como siempre.

El magnífico hombre del que se había enamorado estaba haciéndole el amor. Y aunque le doliera el corazón, por el momento Esme se dejó llevar por la dicha. Y se aferró a ella lo más posible.

Ese fue su último pensamiento antes de que Zaid se colocara y la tomara. Su unión, lenta y delicada, inundó los ojos de Esme de lágrimas y arrancó un profundo gemido de Zaid. Luego, se quedaron dormidos abrazados.

Aquella noche marcó la pauta de la luna de miel.

Cada día visitaban una isla y por la noche hacían el amor y charlaban largamente.

Aparte de los guardaespaldas, solo los acompañaban Fawzi y otro miembro del personal, cuya presencia era extremadamente discreta. Aun así, Esme se había dado cuenta de que Fawzi había pasado a saludarla con una inclinación desde la cintura.

Cuando se lo comentó a Zaid, este rio.

—¿Y por qué parece asustado cuando le hablo? —preguntó ella.

—Porque piensa que incluirlo en la conversación es una señal de falta de respeto hacia mí.

—¡Pero sabe que esa no es mi intención!

—Da lo mismo. No puede evitarlo.

—¿De verdad?

Zaid se puso serio.

Hubo un tiempo en que habría sido severamente castigado si alguien se dirigía a él en presencia de su sultán.

−¡Pero si no era culpa suya!

−Se supone que tiene que ser invisible. Por eso le incomoda que su presencia se haga notar.

−Gracias por decírmelo. Haré lo posible por no incomodarlo.

Esme contuvo el aliento cuando Zaid, tomándole la mano, exclamó:

−¡Eres una verdadera joya, Esmeralda Al-Ameen! Soy un hombre muy afortunado.

Esme dejó que su corazón saltara de alegría, aunque sabía que cuanto más lo amara, más dolor sentiría.

En cuanto a contarle su sórdido secreto, había decidido aceptar que, tal y como había dicho Zaid, formaba parte del pasado.

Temporalmente...

Algún día Zaid tendría que saberlo. Y ella se lo contaría.

Pero ese día llegó mucho antes de lo que había pensado. Cuando llevaban once días de luna de miel. Dio lo mismo que fuera un día precioso; para ella, uno de los más felices de su vida.

En el instante en que Fawzi se presentó en la cubierta donde Zaid y ella descansaban tras un baño, Esme supo que sus días en el paraíso habían terminado. Tras dirigirle a ella una brusca inclinación de cabeza, habló en árabe con Zaid.

Esme vio tensarse cada músculo de Zaid antes de que empezara a disparar preguntas, que su secretario contestó sin mirarla a ella ni una sola vez. En cambio Zaid sí la miraba, con una expresión gélida que la congeló hasta la médula. Zaid añadió algo a Fawzi y este finalmente la miró de soslayo. Esme hubiera preferido que siguiera ignorándola, porque lo que vio en sus ojos fue una profunda lástima

Un silencio sepulcral siguió a la partida de Fawzi.

—Te has enterado de lo de Bryan, ¿no? —preguntó Esme con un hilo de voz.

Zaid tardó unos segundos en contestar.

—¿Es verdad? ¿Se mató porque le habías estafado un millón de dólares y luego lo rechazaste?

Esme sintió que se le desplomaba el corazón.

—No, fue mi padre. Pero no habría elegido a Bryan como objetivo sino hubiera sido mi amigo.

Como siempre que pensaba en Bryan, Esme lamentaba no haberlo rechazado cuando se acercó a ella en un restaurante en Las Vegas.

—¿Es el hombre que te llevó en helicóptero? —la presionó Zaid—. ¿Por eso te atormenta la culpa cada vez que te subes en uno?

Esme asintió con la garganta atenaza por el dolor. No ya por el recuerdo, sino por la certeza de que había perdido a Zaid.

—¿Cuándo se suicidó?

—Al día siguiente de que rechazara su proposición. Unos días antes de que yo cumpliera dieciocho años. Él quería que nos casáramos el día de mi cumpleaños. Yo le dije que era demasiado joven. ¡Él también lo era! Nos peleamos después del viaje y nunca volví a verlo. Unos días más tarde llegó su carta. Mi padre le había vaciado la cuenta corriente. Bryan creyó que yo lo había ayudado, pero no era verdad. Intenté que mi padre le devolviera el dinero, pero...

—¿Pero? —preguntó Zaid con aspereza.

—Era demasiado tarde. Bryan se había tirado de un puente aquella mañana.

Zaid la miró con severidad.

–¿Sabías que te amaba? ¿Lo amabas tú a él?

–No. Solo era mi amigo. Pero a ti sí te amo, Zaid.

Esme supo que era el momento y el lugar equivocados al ver que Zaid reaccionaba como si le hubiera golpeado físicamente.

–¿Que me amas? ¡Qué curioso momento para admitirlo! ¿Crees que así me distraerás del hecho de que esta noticia puede hacer temblar los frágiles cimientos que he construido en Ja'ahr?

Esme estalló en llanto.

–No te lo digo por eso, sino porque es verdad –calló con el corazón a punto de estallarle–. Lo siento.

Zaid se levantó y se alejó de ella.

–¿Lo siento? ¡Un hombre perdió la vida por la codicia de tu padre! Varios periódicos van a publicar que tú y tu padre lo engañasteis, que lo estafasteis. Mi gente se ha enamorado de ti. Yo... –Zaid apretó los dientes.

Esme se abrazó las rodillas para dominar el escalofrío que la recorría.

–Te juro que no sabía lo que tramaba mi padre, Zaid. Pero debería haberlo adivinado. Me culpo a mí misma por haber dejado que Bryan entrara en mi vida.

Al no tener respuesta de Zaid, Esme se atrevió a mirarlo. Su rostro reflejaba ira y desdén.

–He intentado convertirme en mejor persona haciendo tanto bien como puedo allá donde estoy –concluyó con un gemido desesperado.

Pero Zaid ya no estaba allí.

Quizá lo estaba físicamente, pero había perdido a su marido. Y cuando se volvió y se marchó sin pronunciar palabra, lo único que Esme pudo hacer fue ocultar el rostro en los brazos y sollozar.

Como era lógico, la luna de miel concluyó. En cuestión de horas, desembarcaban y partían hacia el aeropuerto de Nassau.

A Esme le sorprendió ver dos aviones en la pista, pero pronto intuyó lo que pasaba. Y su corazón se hizo añicos.

—¿Vuelvo sola a casa? —preguntó a Zaid al bajar del coche.

—Sí, es lo mejor.

Esme rio con amargura.

—¿Tú crees?

Zaid asintió.

—Es mejor que viajemos separados.

—¿Por qué?

—Es el protocolo dado que estás embarazada de mi heredero. No deberíamos de haber viajado aquí juntos.

—¿Y por qué lo hicimos?

—Necesitaba... Decidí romper las reglas —Zaid apretó los dientes antes de añadir—: La tripulación te espera, Esmeralda. Y yo tengo que hacer lo que pueda para contener la crisis —y con paso firme, abordó el primer avión.

Esme subió al otro y voló sola a Ja'ahr.

Al llegar, el personal le dijo que no sabían cuándo esperaban a Zaid ni cuándo estaría disponible.

Esme descubrió pronto que era prisionera en el palacio. Sin la autorización de Zaid no podía salir, ni siquiera con escolta. Pero Zaid parecía estar teniendo éxito en limitar la crisis, al menos en la prensa internacional, donde no se hicieron eco de la noticia.

Pero en Ja'ahr se reanudaron las protestas, y una de ellas tuvo lugar muy cerca de palacio.

Tres semanas después de su retorno, Esme estaba contemplando el exterior desde la cristalera que rodeaba la gran bóveda, cuando Nashwa fue en su busca.

—¿Es mi imaginación o la multitud ha aumentado desde ayer? —preguntó Esme, preocupada.

—Así es, Alteza. Son los seguidores de Ahmed Haruni, protestando por su arresto.

Esme pensó que hasta cierto punto Ahmed Haruni había tenido razón: nunca sería plenamente aceptada.

Tras observar un minuto más al grupo de jóvenes que enarbolaba pancartas, se volvió hacia Nashwa.

—Disculpa, ¿querías algo?

—No, Alteza. Pero alguien quiere verla.

Esme sintió que el corazón le daba un salto de alegría, pero se reprendió por su ingenuidad. De ser Zaid, el palacio habría despertado en lugar de ser como un mausoleo.

Y ella tenía toda la culpa.

Conteniendo un suspiro, siguió a Nashwa al despacho que le había sido asignado como sultana. El hombre que la esperaba le resultó vagamente familiar. Se acercó y se inclinó a modo de saludo.

—Perdone la intrusión, Alteza. Soy Anwar Hanuf, tío del sultán.

Esme asintió.

—Sí, y uno de sus consejeros, lo recuerdo de la boda —Esme indicó una silla—. ¿Qué puedo hacer por usted?

Una vez se sentaron, él dijo:

—Me temo que tengo que ser franco.

—No temo la franqueza.

—Habrá visto la multitud reunida fuera del palacio.

—Sí.

—En mi experiencia, hay que controlar estas situaciones antes de que escale la tensión.

—Me dirigiría a ellos si fuera posible, pero tengo prohibido salir de palacio.

—Lo sé. Por su seguridad y la de nuestro futuro sultán, es lo mejor.

—¿Sí? Me gustaría que alguien me lo hubiera consultado. Desafortunadamente, mi marido ha desaparecido de la faz de la tierra.

Al ver cómo la miraba Hanuf, Esme preguntó alarmada:

—Sabe dónde está Zaid, ¿verdad?

—No he venido por eso, sino...

—¿Va a volver pronto? —preguntó Esme.

Él suspiró.

—Ha llegado el momento de hacer lo debido, señorita Scott.

Ella habría querido decirle que era Esme Al-Ameen, pero se contuvo.

—La gente ha perdido la confianza. Usted tiene que cauterizar sus heridas o retrocederemos.

—¿Qué quiere que haga?

Él la miró fijamente.

—Creo que lo sabe. Que tenga un buen día —se puso en pie y, tras una inclinación de cabeza, se fue.

A Esme se le desplomó el corazón. Dos emisarios con el mismo mensaje. No podía seguir escondiendo la cabeza en la arena. Hizo unas llamadas y luego marcó el teléfono de seguridad.

—Soy la sultana Al-Ameen. Espero visitas dentro de una hora. Asegúrese de que se les deja pasar y se les trata con cortesía. Luego avíseme.

—Sí, Alteza.

Esme colgó. Se sentía un completo fraude, pero se recordó que nunca más tendría que usar su título y su poder. Las furgonetas empezaron a llegar al cabo de media hora.

Cuando la llamaron, Esme fue hacia la sala de reuniones. Nada más entrar, la cegaron las cámaras de la televisión y por primera vez, se alegró de la presencia de los guardaespaldas.

Desdobló un folio.

—Gracias por venir. Y gracias a todos los Ja'ahrís que me han hecho sentir bienvenida desde mi llegada.

Me he enamorado de este maravilloso país y me he sentido orgullosa de considerarlo mi hogar –carraspeó–. Pero he sido injusta con vosotros, Ni mi padre ni mi dudoso pasado pueden ser una carga para el pueblo. Así que desde este momento, renuncio a mi posición como sultana. No debería de haberlo aceptado sin antes desnudaros mi corazón y contaros toda la verdad. Pero confío en que aceptéis a la hija o el hijo de vuestro sultán. Nuestro bebé es inocente. No hagáis que pague por mis errores. Lo mismo digo respecto al sultán, Zaid Al-Ameen. Él se merece a alguien mejor que yo. Pero sobre todo, merece vuestro amor, respeto y comprensión. Lo dejo en vuestras afectuosas manos. *Shukraan*, Ja'ahr.

Bajó del estrado y dejó que los guardaespaldas la guiaran fuera mientras en el interior estallaban las preguntas. Consiguió mantener la compostura hasta que cerró la puerta de su dormitorio. Entonces estalló en llanto y cuando no le quedaron más lágrimas, empezó a recoger su ropa.

Al cabo de unos minutos, Nashwa entró precipitadamente, pálida.

Esme sonrió con tristeza.

–¿Puedes traerme mi maleta? No la encuentro.

–Pero... ¿Dónde vais, Alteza? Y lo que ha dicho en televisión...

–Siento que te hayas enterado así. Por favor, necesito la maleta.

Nashwa se llevó la mano a la boca y salió corriendo. Esme retomó mecánicamente su actividad. Cuando, tras media hora, asumió que Nashwa no volvería, buscó en el vestidor una bolsa de viaje y empezó a meter en ella sus escasas pertenencias. De pronto, la puerta se abrió abruptamente.

Era Zaid.

—¿Qué demonios has hecho, *habiba*? —peguntó con la respiración alterada.

Zaid tenía un aspecto lamentable. Había sufrido. Por su culpa. Y aun así Esme tembló de pies a cabeza con la pura necesidad de refugiarse en sus brazos. Pero permaneció inmóvil.

—Era lo correcto —musitó.

Zaid apretó los puños y cruzó la habitación hacia ella.

—¡Te equivocas! ¿Vas a intentar dejarme cada vez que te dé la espalda?

—No me grites. Y menos después de haber desaparecido sin decirme nada.

Zaid dio otro paso hacia ella.

—Haré lo que me dé la gana mientras te sigas comportando como... como —se pasó la mano por el cabello con un gesto de desesperación—. Como el más noble chivo expiatorio por un bastardo que no lo merece.

Esme lo miró boquiabierta.

—Solo he dicho la verdad.

Zaid le tomó el rostro entre las manos.

—No, *jamila*, no todo es verdad. Lo que pasó fue terrible, pero el responsable es tu padre, no tú. Tú eras una niña, a la que tu padre manipulaba. Y sospecho que te amenazaba a menudo con abandonarte.

Esme se sintió atravesada por el dolor.

—Me decía que si no le hacía caso me llevaría a una casa de acogida —dijo, llorando.

Zaid le acarició la mejilla.

—Shh, *habiba*. No llores. Me duele verte llorar.

—¿Por qué? Me has dejado. Estabas furioso conmigo.

—Sí, pero no he estado lejos. Inicialmente estuve

enfadado. Pero luego me di cuenta de que tú, como yo, perdiste a tu madre muy joven; y que viviste bajo la amenaza constante de perder a tu padre, por más que hubieras estado mejor sin él.

Esme asintió.

—Una mañana, a los dieciséis años, me desperté en un hotel y Jeffrey no estaba. No me había dejado ni una nota. La noche anterior me había negado a ayudarlo con un posible objetivo. Estaba furioso. Yo me encontraba en un país extranjero y estaba aterrorizada. Ese día me prometí que cuando cumpliera dieciocho años, lo abandonaría. Ojalá no hubiera conocido a Bryan.

Zaid dijo con solemnidad:

—Lo sé. Pero yo sé algo que tú no sabes. Hice que Atkins fuera investigado.

Esme frunció el ceño.

—¿Y?

—Sufría una fuerte depresión. Había intentado suicidarse varias veces

—Eso no cambia las cosas —dijo ella con el corazón encogida.

—No, pero Bryan había ido a Las Vegas a gastarse su fortuna y terminar con su vida aquel fin de semana.

—¡Dios mío!

—Sé que no es consuelo, *habiba*, pero había tomado la decisión. Aquí hay mucha gente que te necesita y te ama. ¿Sabes que desde que se ha retransmitido tu mensaje, hay una petición online para que te quedes?

—¿Cómo?

—Si tú renuncias, yo también renunciaré a mi posición.

Esme lo miró alarmada.

—No puedes. Tu pueblo te necesita. Anwar...

—Al diablo con Anwar. Ya hablaré con él. Y con cualquiera que no sepa que mi corazón dejaría de latir si no te tuviera. Donde tú vayas, yo voy.

–No, Zaid, te irá mejor...

–¿Sin mi corazón? ¿Sin mi alma? No, *jamila*, prefiero estar muerto.

–Oh, Zaid...

Rozándole los labios con los suyos, él susurró:

–Iba a decirte que te amaba aquella tarde en la cubierta.

Esme ahogó una exclamación.

–¿Me amas?

–Sí, mi amor. Te adoro. ¿Podrás perdonarme, Esmeralda?

–Te perdono porque yo también te amo. ¿Recuerdas que te lo dije?

Zaid se estremeció.

–Lo recuerdo. Y siento haberte rechazado. Sería un honor que me lo repitieras.

–Te amo, Zaid Al-Ameen.

Él selló los labios de Esme, llenando de dicha su corazón. Y cuando deslizó la mano hacia su vientre, Esme creyó que el corazón le estallaría de felicidad.

–¿Y seguirás siendo mi amada esposa, la madre de este hijo con el que hemos sido bendecidos y de todos los que vengan?

–Sí, Zaid.

Él exhaló un tembloroso suspiro antes de tomarla en brazos.

Un buen rato después, yacían, saciados y felices, en la cama.

Esme acarició le pecho de Zaid.

–¿Así que he causado problemas renunciado a mi título?

Él rio.

–Librarte de mí te constaría mucho más que un discurso, *habiba*. Pero inténtalo otra vez y verás. No volverás a ser libre.

—¿Por qué no?

—Porque los Al-Ameen se casan de por vida. No voy a dejarte ir jamás. Ni en el más allá.

Esme lo besó con el corazón henchido de felicidad.

—Me alegro, porque tu sultana será feliz allá donde tú estés. Siempre.

Epílogo

Un año después

–¿De verdad quieres repetir exactamente nuestra luna de miel tal y como pasó? –preguntó Esme, riendo.

–Hasta el momento en el que la estropeé. Y luego voy a cambiar el final, para que borres los recuerdos de la anterior.

–Zaid, no hace falta...

Zaid posó un dedo en los labios de Esme.

–Shh, no arruines mis planes –miró el reloj–. Son casi las tres y cuarto. Falta un minuto.

Esme enarcó las cejas.

–¿Te acuerdas de la hora exacta?

–¡Cómo olvidarla, *Jamila*!

El teléfono vibró y Zaid le dedicó una de las miradas cargadas de amor a las que había acostumbrado a Esme.

–Te amo más de lo que jamás pensé que fuera posible amar, Esmeralda. Todo lo que soy, te pertenece. Te amaré incluso después de mi último aliento.

–Oh, Zaid... Yo también te amo tanto que a veces me duele.

Él inclinó la cabeza y selló su amor con un beso. Luego alzó la cabeza.

–Entonces ¿estás contenta de haberte quedado?

Esme rio.

–Feliz. Aunque tampoco tuve otra elección.

Los dos rieron, antes de que alegría se atenuara levemente. Zaid le acarició la mejilla a Esme.

–Estás pensando de nuevo en tu padre –afirmó.

Esme asintió.

–Ahora que soy madre y que siento lo que siento por Amir, me cuesta aún más entender que fuera tan poca digna de su amor...

–No, *habiba*. El indigno era él. Fue él quien fracasó como padre y esposo. Tú no tienes nada de qué culparte.

Aunque asintió, Esme pensó con tristeza en las oportunidades perdidas.

La muerte de Jeffrey Scott de un ataque de corazón a los dos meses de comenzar su sentencia de ocho años en prisión, fue un duro golpe. A pesar de todo, Esme lamentaba que no hubieran tenido nunca una relación de amor normal, y que no llegara a conocer a su nieto. Pero algún día, también esa tristeza se diluiría.

Especialmente porque su esposo y su hijo le daban más amor del que jamás hubiera soñado tener.

Como si lo hubiera invocado, Aisha apareció en la cubierta con el niño en brazos.

–¡Ah, esta interrupción es mucho más grata! –exclamó Zaid–. Aunque tenía pensado concluir la declaración de amor con una mucho más física.

Esme sonrió y le dio un beso.

–Tendrás tu oportunidad más tarde, lo prometo.

–Haré que cumplas tu palabra –dijo él. Luego se puso en pie y tomó a Amir.

Sin poder contener la emoción, Esme lo imitó y rodeó a ambos con sus brazos.

Zaid la miró y sonrió con una mirada encendida de amor.

–Te amo, Esmeralda.

Esme sintió evaporarse el último rastro de tristeza.

–Y yo a ti, mi sultán.

Bajo la resplandeciente luz del sol, el hijo de su alma gorjeó entusiasmado mientras veía a sus padres sellar su amor con otro beso.

**Ella le entregó su inocencia...
ahora sería su esposa**

INOCENCIA
SENSUAL

Carol Marinelli

El implacable multimillonario Ethan Devereux sabía que la prensa seguía todos sus movimientos y, cuando descubrió que el resultado de la asombrosa noche que había compartido con la actriz Merida Cartwright era un embarazo, decidió moverse a toda prisa para controlar el escándalo.

De la noche a la mañana, Merida consiguió el mejor papel de su carrera: el de la amante esposa de Ethan Devereux. Pero ella sabía que el auténtico reto sería fingir que no estaba locamente enamorada de él.

Acepte 2 de nuestras mejores novelas de amor GRATIS

¡Y reciba un regalo sorpresa!

Oferta especial de tiempo limitado

Rellene el cupón y envíelo a

Harlequin Reader Service®
3010 Walden Ave.
P.O. Box 1867
Buffalo, N.Y. 14240-1867

¡Sí! Por favor, envíenme 2 novelas de amor de Harlequin (1 Bianca® y 1 Deseo®) gratis, más el regalo sorpresa. Luego remítanme 4 novelas nuevas todos los meses, las cuales recibiré mucho antes de que aparezcan en librerías, y factúrenme al bajo precio de $3,24 cada una, más $0,25 por envío e impuesto de ventas, si corresponde*. Este es el precio total, y es un ahorro de casi el 20% sobre el precio de portada. ¡Una oferta excelente! Entiendo que el hecho de aceptar estos libros y el regalo no me obliga en forma alguna a la compra de libros adicionales. Y también que puedo devolver cualquier envío y cancelar en cualquier momento. Aún si decido no comprar ningún otro libro de Harlequin, los 2 libros gratis y el regalo sorpresa son míos para siempre.

416 LBN DU7N

Nombre y apellido	(Por favor, letra de molde)

Dirección	Apartamento No.

Ciudad	Estado	Zona postal

Esta oferta se limita a un pedido por hogar y no está disponible para los subscriptores actuales de Deseo® y Bianca®.
*Los términos y precios quedan sujetos a cambios sin aviso previo.
Impuestos de ventas aplican en N.Y.

SPN-03 ©2003 Harlequin Enterprises Limited

DESEO

Un accidente le robó la memoria.
Un encuentro fortuito se la devolvió

Un fin de semana imborrable

ANDREA LAURENCE

Por culpa de la amnesia que sufría desde el accidente, Violet Niarchos no recordaba al hombre con el que había concebido a su hijo, pero cuando Aidan Murphy, el atractivo propietario de un pequeño pub, se presentó en su despacho, de pronto los recuerdos volvieron en tromba a su mente, y supo de inmediato que no era un extraño para ella. Era el padre de su bebé, el hombre con el que había pasado un apasionado fin de semana. ¿Creería Aidan que de verdad había olvidado todo lo que habían compartido?, ¿o pensaría que la rica heredera estaba fingiendo para salvar su reputación?

**Pietro tenía unas normas estrictas
para aquel matrimonio…
¡Y estaba rompiendo todas y cada una de ellas!**

RENDIDA AL DESTINO

Clare Connelly

Pietro Morelli rompió su propia norma al seducir a su esposa virgen. Se suponía que la heredera Emmeline tenía que ser una esposa de conveniencia, pero la intensa química que había entre ellos era demasiado poderosa como para que ninguno de los dos pudiera negarla.

Y ya que Pietro ocultaba un secreto devastador, ¿podrían llegar a tener alguna vez algo más que un matrimonio sobre el papel?